BAISER DANGEREUX

UNE ROMANCE DE MILLIARDAIRE

CAMILE DENEUVE

TABLE DES MATIÈRES

Publishe en France par:
Camile Deneuve

ISBN: 978-1-64808-962-6

Réalisé avec Vellum

BLURBS

J'avais pensé ne plus jamais connaitre ce sentiment.

Perdre ma femme m'avait tout simplement anéanti. Mais je n'étais pas prêt à avoir un coup de foudre pour une personne aussi vulnérable et jeune que Biba May. Même son nom me faisait sourire. Son esprit, son rire, la façon dont ses yeux sombres me regardaient... elle me rendait fou. Mais je ne pouvais pas laisser libre cours à cette passion - elle travaillait pour La Folle... Si seulement sa peau n'était pas si douce, sa voix si envoutante, son corps si séduisant... J'avais envie d'elle et je ne savais pas comment me contenir. Honnêtement ... je n'étais même pas sûr de vouloir essayer...

Le réalisateur Cosimo DeLuca était peut-être au sommet de son art, mais pour le tournage de son dernier film, il regrettait déjà d'avoir engagé la diva Stella Reckless pour en être la star. Il n'avait aucune intention de tomber dans les filets de l'actrice, ou de quelle que femme que ce soit. C'était sans compter sur sa rencontre avec l'assistante personnelle de Stella, Biba May. Leur attraction fut immédiate, brulante et ils commencèrent bientôt à découvrir un tout nouveau monde de plaisirs érotiques.
Biba était la seule personne capable de gérer les humeurs de Stella et, bien que l'actrice la traite avec mépris, elle serait perdue sans elle. Mais devant l'amour évident entre Cosimo et Biba, elle ne pouvait s'empêcher d'être jalouse et de faire de la vie de la jeune femme un véritable enfer. Si vous ajoutez à cela un mystérieux harceleur, déterminé à se rapprocher de Stella, Biba allait devoir savoir naviguer en eaux troubles.
Les choses allaient néanmoins prendre une tournure encore plus

dramatique, lorsque le mystérieux harceleur de Stella allait décider de s'en prendre à Biba. Il ne s'agissait donc plus seulement de garder son travail, mais de survivre, puisque sa vie était en jeu. Cosimo pourra-t-il être le roc dont Biba avait besoin, ou devra-t-elle affronter seule cet imbroglio de trahison et de meurtre ?

1

CHAPITRE UN

Elle tendit la main et lui toucha le visage alors que ses yeux gris d'acier se posaient sur elle. Elle sentit une tension sous sa caresse, mais Lucy était heureuse qu'il ne se soit pas éloigné. Ses doigts se déplacèrent légèrement sur son visage, de part et d'autre de la patte-d'oie du coin de ses yeux, traçant les traits fins de ses pommettes.

"Tu es magnifique", murmura-t-elle, et elle reçut un regard étrange en réponse.

"Tu es si jeune, ma chérie", sa voix tremblait d'émotion. "Si tu es d'accord, je ferais tout mon possible pour te rendre heureuse." Il lui prit la main et embrassa le bout de ses doigts. "Mais je sais que mon âge pourrait être un frein, et t'empêcher de m'aimer comme je souhaiterais être aimé."

« Qu'importe notre âge », déclara Lucy, ses yeux bleus sérieux, et fervents. « Je vois l'expérience. Je vois l'aventure, je vois tellement de choses que je pourrais apprendre. Certes, l'amour - le véritable amour - est basé sur autre chose que l'âge, n'est-ce pas?

Il la fixa un long moment, puis acquiesça. "Alors c'est réglé."

«Oui, dit Lucy en s'approchant de lui. C'est réglé. Je suis à toi, Thornton. À toi. "Et elle pressa doucement ses lèvres sur les siennes...

. . .

"COUPER. OK, c'est bien. On continue. » La voix de Cosimo DeLuca était épuisée et il avait des cernes sombres sous les yeux. Biba May jeta un rapide coup d'œil au réalisateur alors qu'elle s'avançait pour draper une robe de chambre sur les épaules de Stella, mais Cosimo était déjà perdu dans ses notes.

Stella, ses cheveux blonds plaqués sous une perruque de Marcel Wave des années 1920, jeta un regard noir à Biba. « Je *gèle*. Sois un peu plus rapide la prochaine fois. "

Biba ne dit rien. Elle avait appris il y a longtemps que s'opposer à Stella n'était jamais une bonne idée. Au lieu de cela, elle fixait simplement ses yeux marron foncé sur l'actrice et Stella eut un rictus amer. Biba n'avait jamais compris pourquoi Stella insistait pour qu'elle soit son assistante sur le plateau, en dépit de son dédain évident pour la jeune femme. Mais Stella payait très bien et se faire jeter un smartphone à la tête de temps en temps, valait le coup. En outre, la deuxième fois que Stella avait perdu la tête, Biba avait ramassé le vase que Stella venait de lui lancer - et l'avait jeté en direction de l'actrice, la manquant délibérément d'un centimètre. Stella avait été choquée... puis avait éclaté de rire. "Qui pro quo, Biba May."

Biba savait que Stella appréciait sa fougue et le fait qu'elle, Stella, puisse se plaindre de tout et de rien, sachant que Biba l'écouterait et lui dirait ensuite exactement ce qu'elle pensait, que cela lui plaise ou non.

Mais cela ne voulait pas dire que Stella aimait Biba, ou, qui que ce soit d'autre. Stella Reckless était la plus grande star de cinéma au monde, une superbe blonde aux courbes à mourir, un large sourire qui pouvait se transformer en un des rires les plus contagieux qui soient. Stella se fichait pas mal de ce que les gens pensaient d'elle, elle faisait rarement les choses par charité. À moins que cela lui soit profitable. Elle s'entourait de sa « brigade » - une flottille de starlettes facilement remplaçables et de jolis garçons qui ne lui disaient jamais non, et qui passaient leur temps à lui lécher les bottes dans la presse.

Mais Biba était différente. Elle ne se laissait pas impressionner par ces conneries. Biba May, fille de militaire, était habituée à composer avec de fortes personnalités : son père un Afro-Américain, un géant de près de deux mètres, était Général et sa mère créole était Major à la base de Lewis-McChord, près de Tacoma. Enfant, Biba rêvait de faire carrière dans l'armée, comme sa mère. Mais on lui avait découvert un souffle cardiaque à l'âge de quinze ans. Après une opération infructueuse, Biba avait été forcée de rester à la maison et à regarder de vieux films durant sa longue convalescence, et ainsi la jeune femme s'était découvert une passion pour le cinéma. Elle avait alors décidé de travailler comme assistante de plateau de tournage. Elle avait découvert un monde où elle pouvait observer les rouages de l'industrie du film et la magie du cinéma. Son efficacité naturelle et son sens de l'organisation lui avaient valu une place de choix derrière la caméra.

On lui demandait cependant souvent pourquoi elle-même ne voulait pas devenir actrice. Biba levait les yeux au ciel, consciente de la raison pour laquelle cette question revenait sans cesse. Elle savait que les gens la trouvaient belle : sa peau couleur caramel, ses grands yeux sombres, ses cheveux noirs, coupés courts et sa petite silhouette toute en courbe attiraient constamment les admirateurs, mais elle tenait résolument à minimiser sa beauté physique.

"Salut." Quelqu'un la poussa du coude, et elle se retourna pour voir son meilleur ami Reggie, qui lui souriait. « Tu étais sur ton nuage. La Folle a-t-elle eu besoin qu'on lui cire les pompes ?

Biba eut un petit rire. "Si c'était le cas, elle sait que ce serait s'adresser à la mauvaise personne." "Ils préparent la scène suivante ?"

Reggie, qui était coauteur sur le film, fit un signe de tête vers Cosimo DeLuca, qui lisait toujours ses notes et parlait à voix basse à son directeur de la photographie. "Tu as fait sa connaissance ?"

Biba secoua la tête. "Pas encore. Il a l'air... triste. Je ne voulais pas le déranger en me présentant. Je ne pense pas qu'il se soucie d'une simple assistante ? "

Reggie eut un petit sourire. « En fait, il fait partie des meilleurs. Il se soucie de tout le monde. Parfois un peu trop, je pense. "

"Tu le connais bien ?"

« Pas vraiment, mais j'ai travaillé avec lui à quelques reprises au cours des deux dernières années. Sa femme est morte il y a quelques années.

Biba regarda le réalisateur. "Je vois, c'était donc ça."

"Quoi ?"

"Cette tristesse qu'il porte sur lui. Comment est-elle morte ?"

« Elle était malade, je pense. Assez jeune en plus, elle n'avait que trente-trois ans. Ils ont un fils, Nicco. Il vit avec sa grand-mère à Seattle. Il ne voit pas beaucoup son père. "

Biba secoua la tête. "C'est terrible. Pauvre homme."

Reggie s'éloigna et Biba en profita pour étudier le réalisateur. Il était incroyablement beau, ou il le serait s'il ne portait pas les stigmas de son chagrin dans toutes les cellules de son corps. Ses boucles sombres étaient en désordre, il y avait des ombres pourpres sous les yeux verts, et ses sourcils étaient épais et broussailleux. Les yeux de Biba tombèrent sur sa bouche, sur ses lèvres, et suivirent leur courbe sensuelle et pleine.

Elle réalisa qu'elle était en train de le regarder au moment où Cosimo leva la tête et rencontra son regard. Une poussée d'adrénaline et de désir s'empara de son estomac et elle détourna les yeux, embarrassée. Heureusement, Stella l'attrapa à ce moment-là et elle fut trop occupée le reste de l'heure pour comprendre pourquoi elle avait ressenti une telle secousse en croisant le regard de DeLuca.

ILS AVAIENT CHOISI Lakewood Manor comme lieu de tournage, une magnifique maison gothique de l'époque Tudor située tout près de Tacoma, dans l'état de Washington, qui était la ville natale de Biba. Alors, se demanda-t-elle plus tard tandis qu'elle se dirigeait vers la caravane de Stella, pourquoi n'était-elle pas rentrée à la maison ? Pendant les trois premiers jours, elle s'était trouvée d'excellentes excuses: ils n'étaient là que depuis trois jours, les choses étaient toujours mouvementées en début d'un tournage et...

La vérité était... qu'elle ne voulait pas rentrer à la maison. Elle y était toujours traitée comme une enfant. Sa mère n'avait jamais été la personne la plus chaleureuse au monde, et le père de Biba, avec son ego masculin fragile, avait reporté ses insécurités sur Biba dès son plus jeune âge. Il pouvait à peine lui parler comme à une adulte, mais si Biba osait manifester son énervement par rapport à ça, Travis May devenait verbalement agressif.

Biba détestait l'idée de le voir, ne voulant pas ressentir la rage, le sentiment de trahison et d'injustice que son père suscitait en elle. Quant à sa mère... Biba avait toujours pensé qu'elle n'était qu'un inconvénient pour cette dernière. Elle n'avait jamais pris le parti de Biba dans ses récriminations contre le comportement de son père.

Biba expira profondément en frappant à la porte de la caravane de Stella et entra sans attendre de réponse. Elle sentit la remorque bouger et soupira. Stella devait être dans la chambre avec Damon.

Damon Tracy – ou Tracy le connard comme l'appelait l'équipe - était le dernier amant en date de Stella - non que Stella se souciât beaucoup de lui. Biba détestait Damon - il était aussi fade qu'un mur beige et aussi bête qu'un marteau, mais il se croyait irrésistible pour le sexe opposé - et avait, à plus d'une occasion, flirté avec Biba, ses yeux errants librement sur son corps. Il avait l'habitude de la coincer de manière suggestive avec des requêtes qui semblaient innocentes. Biba l'envoyait promener, mais cela avait l'air de l'encourager.

Avant lui, Stella sortait avec Sasha - un homme d'affaires de Portland. Stella avait lâchement envoyé Biba rompre avec Sasha. Biba avait été horrifiée et avait fondu en larmes - ce qu'elle faisait rarement - tandis que Sasha prenait la nouvelle stoïquement. Sasha l'avait à son tour réconfortée et ils étaient restés bons amies.

Si cela devait arriver à Damon, Biba serait heureuse de lui annoncer que Stella voulait le quitter, et connaissant sa patronne, ce jour allait bientôt arriver.

La caravane avait cessé de bouger et au grand amusement de Biba, elle entendit Stella dire: «C'est tout? Seigneur..."

Biba étouffa un éclat de rire, mais elle ne cacha pas son sourire quand Damon sortit de la chambre en pantalon, lui lançant un regard noir alors qu'il enfilait son jean et disparaissait par la porte. Stella apparut un moment plus tard, voyant le sourire de Biba. Elle haussa les épaules. "Ça ne lui fait pas mal de croire qu'il a besoin de s'améliorer un peu."

Biba grimaça. " Plutôt toi que moi."

Stella eut un petit rire sombre. "Je ne pense pas qu'il reste encore quoique ce soit entre Damon et moi. De plus, j'ai un plus gros poisson en ligne de mire."

"Seigneur, qui maintenant ?"

Stella sourit devant l'air sarcastique de Biba. « Je parle de notre délectable réalisateur, bien sûr. Tu as remarqué à quel point cet homme est sexy. Mon Dieu, italien par-dessus le marché… Je parie qu'il baise comme un animal. »

Biba détourna la tête, ne voulant pas que Stella comprenne que cette pensée lui avait aussi traversé l'esprit. « Il pleure toujours sa femme, Stella. Tu devrais peut-être y aller avec douceur.

Stella leva les yeux au ciel. "Oh, je t'en prie. On travaille dans l'industrie du cinéma. Je parie qu'il baisait ses premiers rôles à la seconde où sa femme était en terre. "

Elle avait raison, mais curieusement, Biba ne pensait pas que Cosimo DeLuca était ce type d'homme. Elle décida de changer de sujet. "Tu veux passer en revue le dialogue de demain ?"

Stella haussa les épaules. "Ok. Ensuite, tu pourras m'aider à concocter un plan pour séduire Cosimo. Cet homme ne quittera pas Washington sans que je l'aie baisé. "

LE SEXE ÉTAIT la dernière chose à laquelle pensait Cosimo. Il avait passé la journée à filmer avec son directeur de la photographie, Channing, et son assistant-réalisateur et coproducteur, Lars, mais il n'arrivait à se concentrer à rien. Ce film n'était pas son premier choix, mais au moins il avait des amis proches dans l'équipe, des amis qui avaient bien compris que sa priorité, depuis la mort de Grace, était d'essayer de trouver un point commun avec Nicco, leur fils de seize ans.

Cosimo tapa sur l'écran de son téléphone et le porta à son oreille. "Salut maman."

La voix d'Olivia DeLuca était chaude. « Cos, comme c'est agréable de recevoir de tes nouvelles. Comment se passe le tournage ? "

"C'est le premier jour, tu sais que c'est toujours étrange. Nous tournons hors séquence, donc les acteurs et l'équipe n'ont pas encore eu le temps de développer une certaine complicité. C'est la routine. Comment va Nicco?

"Et bien... il aime son école, c'est déjà ça. Après ce problème à Olympia High, je pensais que nous n'arriverions jamais à faire les choses bien. Dommage que nous ayons dû l'envoyer dans une école privée. "

"Je paierais n'importe quel montant pour ça, maman, alors ne t'inquiète pas, s'il te plaît." Il hésita. "Je suppose qu'il n'a pas vraiment envie de parler à son père aujourd'hui ?"

Olivia soupira. "Je vais voir, Cos, mais ne retiens pas ton souffle."

Il y eut une longue pause, puis Cosimo entendit son fils prendre le téléphone. "Salut."

Cosimo, soulagé, rit. « Salut à toi aussi. Comment ça se passe ?"

"Cool. L'école est plutôt sympa.

"Content de l'entendre. Qu'est-ce que t'as fait ces derniers temps ?

"Pas grand-chose. Jouer au football. "

Cosimo était surpris. "Vraiment ?"

Nicco eut un rire sans joie. « Oui, papa. Surprise, surprise, ton fils est bon à quelque chose. »

Cosimo serra ses poings. Ça allait recommencer... "Nic, je n'ai jamais pensé que tu étais mauvais en quoi que ce soit."

"Je ne sais pas, je suis un fils plutôt merdique."

"Tu ne l'es pas." Nicco était comme ça depuis le décès de sa mère. Grace et lui avaient tous deux tenté de préserver Nicco de la maladie de sa mère, et elle était morte, de manière si inattendue, pendant que Nicco était parti en classe verte. Lors de la dernière conversation qu'il avait eue avec sa mère, il avait été distrait et s'était irrité du fait qu'elle n'arrêtait pas de se tracasser pour lui – ce qu'il appelait 'se tracasser' – et s'était énervé contre elle. Il ne s'était jamais pardonné cela, pas plus qu'à Cosimo, qui lui avait caché la gravité de la maladie de Grace. Cosimo ressentait la douleur de cette trahison chaque fois qu'il parlait ou voyait Nicco. Il perdait son fils et il le savait.

«Peu importe papa. Comment se passe le tournage ? "

« Ca commence tout juste. Tu sais, si tu voulais, tu pourrais venir ici le week-end, trainer avec nous, voir ce que nous faisons ?

Il y eut une longue pause. "J'ai un match ce week-end."

"Dans ce cas c'est moi qui viens." Cosimo avait prévu de tourner ces deux jours-là, mais il laisserait Channing s'en occuper.

"T'inquiètes, tu as du travail." Nicco hésita. "Peut-être que le week-end d'après, je pourrais descendre en bus."

"Ça me ferait vraiment plaisir." Cosimo sentit une vague d'espoir le traverser. "Je t'aime, mon pote."

"Ouais." La voix de Nicco devint de nouveau froide. "À plus tard, papa."

"À plus tard, Nic."

Cosimo attendit que le téléphone soit rendu à sa mère. Seule Olivia DeLuca insistait encore pour avoir une ligne fixe. "Bonjour Chéri."

"Salut maman. Nic dit qu'il pourrait venir le week-end prochain. »

"J'ai entendu. C'est merveilleux, Cos. » Il y eut une longue pause. « Cosimo... essaie d'être heureux, fiston. J'ai peur de te voir entrer dans l'une de tes phases de retrait. Je crains que tu ne sois déprimé à nouveau. »

Cosimo se frotta les yeux. « Je vais bien, maman, vraiment. Ça fait seulement deux ans, c'est tout. J'aimerais savoir comment dépasser ça, mais je suis coincé pour le moment. Ça va aller. "

« Ouvre à nouveau ton cœur, mon fils », dit Olivia d'une voix douce. "Grace voudrait que tu retrouves l'amour."

"Je sais. Merci maman."

Après avoir raccroché, il prit des notes sans conviction avant de descendre au lac, c'était le crépuscule. Le manoir avait été construit au bord de l'un des plus grands lacs de la région, et l'endroit était tranquille tard dans la soirée. Cosimo respirait l'air de la nuit, le froid intense lui donnant un coup de fouet. C'était vraiment un lieu de tournage incroyable. La propriété elle-même avait été convertie en chambre d'hôtes il y a quelques années et rénovée de manière exquise. Le studio de cinéma avait loué la bâtisse pendant la durée du tournage, et certains des acteurs et de l'équipe occupaient des chambres qui n'étaient pas utilisées pour le tournage. Cosimo regardait à présent le manoir, éclairé et chaleureux. Il savait qu'il devrait être reconnaissant d'avoir ce travail, et il l'était - il adorait la réalisation -, mais ces derniers temps, il aspirait à plus de solitude. Peut-être que sa mère avait raison : il redevenait un vieil ermite grincheux.

Il secoua la tête et commença à descendre pour s'asseoir au bord du lac. Il entendit un chien aboyer et il se retourna pour voir un Berger allemand, il reconnaissait le chien du gardien, accompagné d'une légère silhouette qui brandissait une branche d'arbre. L'autre extrémité était dans la gueule du chien et ils jouaient tous deux. Il entendit la femme rire et faire semblant de grogner devant le chien. En plissant les yeux, il reconnut l'assistante de Stella – Biba, c'est comme cela qu'elle s'appelait ? – Elle taquinait le chien, et jouait avec lui en se roulant avec lui dans l'herbe.

Cosimo sourit. C'était mignon. Il les observa quelques minutes depuis son siège au bord du lac. La jeune femme le vit alors qu'elle était sur le point de se retourner et de rentrer à l'intérieur. Pendant un long moment, ils se regardèrent, lisant l'expression de l'autre, et il la vit lui faire un signe légèrement embarrassé. Il leva la main pour lui faire signe, mais elle s'était déjà retournée pour rentrer.

Cosimo se retourna vers le lac, mais son esprit resta concentré sur la jeune femme. Il savait que Stella Reckless était une patronne terrible, mais cette fille semblait savoir composer avec elle et cela l'intriguait. Il savait aussi que Stella le regardait avec un peu trop de désir dans les yeux depuis trois jours et qu'il ne voulait vraiment pas de cela. Stella Reckless n'était pas du tout son type - il préférait les femmes plus cérébrales, des femmes qui lui parleraient d'autre chose que d'Hollywood, de fêtes ou des Kardashians. Grace était une scientifique qui avant sa mort, avait postulé pour travailler à la NASA.

Il soupira et se leva, retournant lentement au manoir. Sa mère pouvait dire ce qu'elle voulait, mais Cosimo le savait – la femme qui attirerait son attention devrait vraiment être spéciale.

Il regarda le réalisateur retourner au manoir avant de se replonger dans les bois. Il était ravi d'avoir découvert qu'ils filmaient ici. Les bois ouverts, le lac, tout cela lui faciliterait les choses pour se rapprocher de Stella. Bientôt, il la contacterait et lui ferait savoir qu'il était là pour elle – de toutes les formes possibles et inimaginables qu'un homme puisse être présent pour une femme comme Stella Reckless. Personne ne se mettrait en travers de leur histoire d'amour homérique et unique.... Et que Dieu vienne en aide à celui qui essayerait...

2

CHAPITRE DEUX

« Beebs, viens. Une demi-heure ne fera aucune différence. » Rich Furlough était gardien sur le plateau de tournage, il fit la moue à Biba, qui en retour, lui fit son plus joli sourire. Rich, et son inséparable collègue Gunter faisaient tous deux partie des gens avec lesquels elle préférait travailler dans l'industrie. Très efficaces dans leur travail, ils étaient incroyablement malicieux et joueurs. Rich, dont la beauté sombre et les yeux bleus auraient facilement fait de lui un candidat à la célébrité, était l'instigateur de tous leurs mauvais coups, cherchant toujours un moyen de faire redescendre les acteurs les plus flamboyants de leur piédestal. Le bodybuilder allemand, Gunter, quant à lui, se posait toujours des questions existentielles sur les choses les plus aléatoires de la vie, par exemple pourquoi les libellules avaient des ailes multicolores («Elles sont un peu fantaisistes, non? Comme si elles allaient à une fête, la?»).

Biba les adorait tous les deux - les deux hommes étaient les meilleurs amis du monde depuis l'université, et ils l'avaient pris sous leur aile dès le début de sa carrière. Gunter avait le béguin pour Stella, sentiment absolument non partagé, et il se saoulait parfois en se lamentant sur son «amour perdu».

Rich quant à lui, flirtait outrageusement avec Biba, mais ils partageaient un lien presque fraternel. Il essayait ce jour-là de la persuader de faire une blague à Damon, que Rich détestait. « Allez, Biba», dit-il à nouveau, sa voix tremblotante. "Tu sais que tu en as envie."

« Oui, bon, je ne tiens pas *absolument* à lui coller la moustache», dit Biba fermement, essayant de ne pas sourire. "Lila risque de me tuer si j'abime le travail de maquillage qu'elle a fait sur lui."

Rich renifla. "Il en a besoin." Biba lui fit un clin d'œil et alla trouver sa patronne.

Stella tapotait sa cigarette sur la table dans la caravane, les yeux perdus dans le vague. Elle ne vit pas Biba entrer, qui, fatiguée de dire bonjour et d'être ignorée, frappa fort sur la table.

"He ! Atterris. Maquillage dans cinq minutes. "

Stella cligna des yeux puis sourit. "Je t'ai entendu. As-tu vu Damon ce matin ?

"Non, Dieu merci." Biba s'arrêta et plissa les yeux en regardant Stella. Elle connaissait ce regard. "Oh non. Je sais ce à quoi tu penses."

"Quoi ?" demanda Stella innocemment.

« Tu as ce regard, celui dit que tu te prépares à te débarrasser de quelqu'un. Et même si je déteste Damon, tu devrais lui dire toi-même cette fois-ci.

"Je ne t'ai rien demandé."

"Non, mais tu allais le faire." Biba s'empara des nouvelles pages de script qui étaient arrivées. Elle fronça les sourcils. "Les nouvelles pages sont-elles roses ou jaunes ? Merde, je ne m'en souviens pas.

Stella l'ignora. « Et puisque tu parles de Damon... »

"Je n'en ai pas parlé, c'est toi qui l'as fait."

Stella agita sa cigarette dans la direction de Biba, puis l'alluma enfin, chassant la fumée hors du visage de son assistante. C'était l'une des rares attentions qu'elle lui montrait. "Peut-être qu'il est temps que nous nous séparions."

"Alléluia."

Stella l'étudia de plus près.

"Tu ne l'aimes vraiment pas, n'est-ce pas ?" Quel est ton problème, Biba? Tu détestes devoir me partager ?

"Toujours", sourit sarcastiquement Biba, et Stella éclata de rire.

« Non, ce n'est qu'un bon à rien. Tu peux faire mieux.

Stella sembla vaguement surprise par le compliment, mais ne dit rien. «Bien... la prochaine fois, c'est promis. Notre magnifique réalisateur Cosimo DeLuca... tu t'imagines un peu, te faire baiser par cet homme ? Je parie qu'il a un gros paquet. »

Biba ne répondit pas, mais la pensée de Cosimo nu n'était pas déplaisante, bien au contraire. Elle ne l'aurait certainement pas dit à Stella. Elle se souvint de la nuit dernière quand elle l'avait vu la regarder jouer avec le chien de gardien. Il avait l'air presque... heureux, prenant plaisir à la regarder jouer avec le berger allemand. Peut-être aimait-il les chiens ? Cela le rendait encore plus séduisant. Elle chassa cette pensée. *Ne craque pas pour lui. Ne craque pas.* C'était ridicule, de toute façon. Elle ne lui avait jamais parlé. Quand elle l'avait salué d'un geste maladroit la nuit dernière, il avait semblé tellement surpris qu'elle s'était détournée, embarrassée et elle était retournée au manoir.

« He ! *Atterris* », Stella était agacée, "Est-ce que tu écoutes ?"

"Bien sûr."

"Essaye d'observer le comportement de DeLuca avec moi."

"Comment ?"

« Regarde-le quand je joue, et vois comment il réagit... s'il m'admire. "

Biba commença à sourire. "Alors, s'il ..." Elle fit semblant de saisir son entrejambe en faisant un geste obscène de la main. Stella rit doucement. Elle trouvait toujours les blagues graveleuses amusantes.

« Un peu plus subtile que ça, mais, oui. » Stella étira ses longues jambes et releva ses longs cheveux blonds en une queue de cheval. "Ah oui, le maquillage."

Après que Stella l'ait quittée, Biba rangea la caravane et arrangea les vêtements de Stella pour plus tard, les suspendit et les repassa à la vapeur. Après avoir terminé, elle se dirigea, vers la caravane de service pour y prendre un café et du muesli.

Alors qu'elle s'asseyait, elle sentit que quelqu'un lui chatouillait les côtés et sut qui c'était. « Reginald », dit-elle d'une voix impérieuse puis sourit en s'asseyant à côté de lui. Reggie embrassa son front.

« Bonjour, ma belle. » Il lui vola immédiatement une cuillerée de muesli, ses yeux étincelants derrière ses lunettes, ses épais cheveux blonds ondulés en désordre, comme toujours.

"Reggie, la nourriture est *juste* là," gémit-elle, mais ça ne la dérangeait pas. Reggie Quinn, scénariste, amateur de musique et geek, était le meilleur de ses amis, le seul qu'elle pouvait appeler dans les hauts et les bas de sa vie.

C'est lui qui lui avait obtenu le poste d'assistante de Stella. Ils s'étaient rencontrés quand il était venu dans son collège donner une conférence sur le travail dans le cinéma et Biba était la seule étudiante à participer. Il l'avait rappelé ensuite et ils avaient longuement parlé dans son bar préféré. Ils s'étaient tellement bien entendus qu'ils avaient tous deux plaisanté en disant que c'était un coup de foudre.

LEUR AMITIÉ ÉTAIT CEPENDANT RESTÉE platonique depuis le début. Biba ne cherchait pas de relations romantiques et Reggie semblait trop heureux d'être célibataire. Les deux avaient convenu qu'ils avaient beaucoup mieux à faire de leurs vies. Et Reggie était le meilleur quand il s'agissait d'écrire, il lui donnait sans cesse de nombreux conseils et l'encourageait à soumettre son travail à des agents. Biba ne pensait toujours pas qu'elle réussirait un jour en tant que scénariste, mais elle était reconnaissante du soutien de Reggie dans tous les cas.

Reggie posa son menton sur son épaule et appuya sa tête contre la sienne. "Comment va la méchante sorcière ?"

Biba sourit. "OK pour le moment. Elle a un nouveau jules en vue. "

"Oh mon Dieu. Qui est-ce cette fois ? » dit-il en levant les yeux au ciel.

"Cosimo DeLuca."

"Mon Dieu", dit Reggie, "Le pauvre garçon n'a aucune chance."

"N'est-ce pas ?" Tout à coup Biba n'avait plus envie de parler de Stella qui voulait séduire Cosimo - cela lui donnait une sensation étrange et inhabituelle de jalousie et de douleur mêlées, qu'elle ne comprenait pas.

Elle finit son petit-déjeuner et dit au revoir à Reggie en se dirigeant vers la caravane de maquillage.

Alors qu'elle tournait au coin de la rue, elle se retourna brusquement, et failli rentrer en collision avec quelqu'un. Quand elle vit qui c'était, son cœur était prêt à sortir de sa poitrine.

Cosimo avait l'air surpris, puis il sourit et pour Biba, la lumière apparut. « Bonjour, enfin. » Sa voix était profonde et riche, avec seulement un soupçon d'accent, ce qui lui donna le vertige.

Enfin ? Son estomac palpitait. « Bonjour, monsieur DeLuca, c'est un plaisir de vous rencontrer. » Ne sachant pas quoi faire, elle tendit la main et sa grande main chaude et sèche se referma sur la sienne.

Il y eut une longue hésitation alors qu'ils se fixaient l'un l'autre, et Biba se sentit rougir. Ses yeux étaient intensément fixés sur les siens - un si beau vert - et ses cils étaient épais, noirs et longs. Quand ses yeux se posèrent sur ses lèvres pleines pendant une seconde, Biba sentit un frisson la traverser. Mon Dieu, il était vraiment *magnifique* et... lui faisait ressentir des choses qu'elle n'avait jamais ressenties.

« Biba, c'est bien ça? »

Elle hocha la tête, se sentait essoufflée. Il lui sourit. «Ma mère posait pour Biba à Londres dans les années soixante. Joli prénom."

"Je vous remercie. Y a-t-il quelque chose que je puisse faire pour vous, monsieur DeLuca? » *Par exemple vous embrasser ? Ou plonger ma main dans cette magnifique crinière de boucles sauvages sur votre belle tête ?*

Cosimo sourit. "C'est très gentil, mais non, merci. Et c'est Cosimo, Biba. Vous cherchez Mme Reckless? Je crois que je l'ai vue rentrer dans sa caravane. "

"Merci." Elle lui sourit et fut heureuse de le voir hocher la tête. Il y avait deux taches roses sur ses joues qui la surprirent - mais peut-être qu'il était juste très timide. C'est ce qu'elle avait entendu dire de lui et jusqu'à présent, elle n'avait trouvé aucune preuve du contraire.

Il ne semblait pas non plus pressé de la quitter. « Comment se passe le tournage pour vous ? Nous venons à peine de commencer, mais... »

Cosimo fut interrompu par l'arrivée précipitée de Rich, qui glissa quelque chose dans la main de Biba et s'enfuit en criant : « Désolé, Beebs! »

Biba et Cosimo se regardèrent, puis Biba baissa les yeux, sur un tube à moitié vide de Krazy Glue.

« Qu'est-ce qu'il se passe ?» demanda Cosimo en regardant la silhouette de Rich s'éloigner.

Biba secoua la tête. Elle ne voulait pas que Rich ait des ennuis. "Rien. Désolé, M.— Cosimo. Je dois aller voir Stella. »

"Bien sûr. Encore une fois, je suis ravi d'avoir fait votre connaissance, Biba. » Il lui sourit et lui toucha le bras avant de s'éloigner. Biba prit une grande inspiration. Sa peau brûlait là où il l'avait touchée et elle se demandait comment elle se sentirait si ces mains la caressaient, encore et encore...

Seigneur. Un pouls régulier battait entre ses jambes et elle dut attendre un instant pour se reprendre.

Plus tard, en regardant la scène entre Stella et Damon sur le tournage, Biba ne pouvait s'empêcher de regarder la réaction de Cosimo devant le jeu de ses acteurs. Il était toujours poli, mais savait ce qu'il voulait. Il leur expliqua soigneusement comment il pensait que la scène devait être jouée, tout en écoutant leurs suggestions. Il est doux, pensa-t-elle. C'est un homme doux.

Damon manipulait sa moustache, et se grattait la peau autour, et Stella semblait agacée. "Je ne veux pas de morceaux de peau dans la bouche, Damon merci beaucoup.

Damon l'ignora. "Ça gratte bordel."

"Mon Dieu, tu n'as jamais mis de faux cheveux ?" Stella jeta un coup d'œil à la racine de ses cheveux. "On dirait que tu en auras besoin dans quelques années, de toute façon."

"Sois pas vache." Damon fourra un doigt dans la moustache. "Ma lèvre est engourdie."

Oh mon Dieu. La main de Biba alla dans la poche de son jean pour sentir le tube de Krazy Glue. Elle jeta un coup d'œil à Rich qui, délibérément évitait son regard. *Oh putain.*

Ses craintes se concrétisèrent une demi-heure plus tard, lorsque Stella s'éloigna de Damon au milieu d'une scène de baisers. "Mais c'est dégoûtant, qu'est-ce que c'est ?"

"Queff quiff paff?" Le discours de Damon était confus, et il se mordit de nouveau la lèvre supérieure. "F'es quoi fe bordel ?" Il arracha la moustache, faisant grimacer tout le monde devant le spectacle de sa lèvre qui saignait.

"Oh, mon Dieu." Stella était à la fois dégoutée et amusée - la lèvre de Damon avait gonflé de manière alarmante. Il ressemblait à un canard.

3

CHAPITRE TROIS

Biba pâlit. Damon était visiblement allergique à la colle Krazy Glue que Rich avait mise sur la moustache artificielle. Elle se dirigea vers le chef de la sécurité et le poussa violemment dans le dos. "Espèce d'idiot. Regarde ce que tu as fait, siffla-t-elle.

"Comment pouvais-je savoir qu'il était allergique ?" Il n'y avait aucune culpabilité dans la voix de Rich, il s'avança néanmoins. « D'accord que tout le monde se calme. Quelqu'un a un EpiPen? Nous pourrions en avoir besoin. En attendant, j'appelle le médecin. »

Cosimo soupira, son emploi du temps venait d'être complètement chamboulé, la concentration n'y était plus. «Ok tout le monde, on va arrêter pour aujourd'hui. Damon, va te faire soigner. Il se retourna et croisa le regard de Biba. Elle fut stupéfaite de le voir sourire et lui faire un clin d'œil. De toute évidence, Cosimo n'aimait pas les divas non plus.

Biba rattrapa Rich, et lui donna un coup dans la poitrine. Rich sourit. « Désolé d'avoir mis la colle dans ta main, Beebs. Je devais absolument me débarrasser des preuves accablantes. "

"Et *me* piéger, connard."

«Tu savais que, dans certaines zones de guerre, Krazy Glue est utilisé pour fermer les blessures», Déclara Gunter gentiment. "Peut-être que Biba devrait te coller le zizi pour te remercier." Il mordit dans une pomme avec nonchalance alors que Biba et Rich le regardaient tous les deux.

« *Merci*, mec. » Dis Rich alors que Biba commençait à rire.

"Peut-être que c'est une bonne idée", Biba allait lui défaire la braguette. « Viens le retenir, Gunter, pendant que je... »

Rich se glissa hors de sa portée. «Ha ha. Écoute, sérieusement, je suis désolé. Si Cosimo dit quelque chose, dis-lui que c'était moi. »

"Oh, je le ferai", déclara Biba. "Je n'aurais aucun scrupule à le faire."

Rich sourit. "Tu m'aimes beaucoup trop."

"Je ne crois pas, non."

"Ouais c'est ça. Si je n'étais pas si occupé à travailler, tu serais constamment sur moi. Tu es insatiable. "

Biba commença à rire. Elle adorait les taquineries de Rich, principalement parce qu'il le faisait toujours d'une manière aussi ouverte et bénigne. «Rich, je te l'ai déjà dit. J'aime les grosses saucisses, pas les chipolatas. ”

Gunter lui jeta un regard intéressé. "Oh, tu aimes les grosses saucisses allemandes ?"

Biba sourit et ne répondit pas. Rich soupira et se laissa tomber sur le canapé de sa caravane. « C'était vraiment drôle. On fait quoi demain ?

Biba lui donna un coup de pied en passant. "Travailler, peut-être ? Je dis ça comme ça. »

"Tyran."

"Gros paresseux."

Rich sourit. "À plus tard, ma biche."

"À plus tard. Au revoir, Gun. »

"Au revoir, princesse grosse saucisse."

Biba souriait encore lorsqu'elle alla chercher Stella, qui était elle aussi de bonne humeur. "J'ai entendu dire que c'est toi qui as utilisé la Krazy Glue." Elle serra Biba dans ses bras, qui s'est détourna légèrement, surprise par l'éteindre inattendue. "Bien joué."

Biba essaya de s'extraire des bras de Stella. « Eh bien, tu as mal entendu. Ce n'est pas que Tracy le connard ne le méritait pas, mais je ne souhaiterai à personne... une telle... moue. » Elle sourit en coin, Stella elle, souriait de toutes ses dents.

"N'est-ce-pas?" Stella gloussa joyeusement. Elle s'assit, ouvrant le mini-réfrigérateur et sortit une bière. Elle n'en proposa aucune à Biba, mais Biba était habituée. «Mon Dieu, quelle journée. Et... quelle nuit j'ai planifiée. »

Elle haussa les sourcils, en regardant Biba, elle savait que Stella voulait qu'elle lui pose la question. En soupirant, elle répondit au souhait de sa patronne. "Ah oui ?"

«Ce que j'appelle la première offensive de campagne 'Cosimo sera mien'. Nous nous retrouverons plus tard pour discuter du scénario et des motivations de mon personnage. » Elle prit une gorgée de bière et se lécha lentement les lèvres. « Le dessein de mon personnage étant 'je veux sucer ta grosse bite, Monsieur le Réalisateur'. » Elle ricana, mais Biba ressentit l'étrange morsure de la jalousie.

« Stella... juste un avertissement. Cet homme ne semble pas du genre à... avoir des aventures sur les plateaux. Il est plutôt timide.

Stella la regarda de travers. "Et tu sais cela parce que ...?"

« Sans raison. C'est juste l'impression que j'ai.

Stella haussa les épaules. Elle se leva et ouvrit son peignoir. « Il va cesser d'être si timide en voyant cela. » Stella n'hésita pas à montrer sa silhouette généreuse : ses gros seins, son ventre plat et ses longues et fines jambes. Biba avait déjà vu tout ça avant.

« C'est comme Tu veux. Bon, tu as tout ce qu'il te faut ? Je vais rentrer. »

« Oui, d'accord. On commence à quatre heures demain matin. Sois ici à trois heures et demie, s'il te plaît. »

Biba gémit. "Mon Dieu, mais c'est même pas une vraie heure ça, Tu me fais marcher ». Stella sourit à sa blague.

« Crois-moi, je préférerais dormir jusqu'à midi également, mais nous devons filmer certaines scènes avec la lumière de l'aube. » Elle s'arrêta et regarda Biba. « Repose-toi. Tu as l'air crevé. »

Mais qu'est-ce qui lui arrive ? Stella n'était jamais aussi sympa à moins que... *ah, oui.* Biba s'en souvenait maintenant. Elle était toujours de meilleure humeur quand elle était sur le point de séduire quelqu'un. Habituellement, Biba ne s'en souciait pas... et elle se demandait pourquoi cette fois-ci, c'était différent.

« Bien. A demain matin. »

Biba se demanda si elle devait emprunter à nouveau le chien du gardien et descendre au lac — pour promener le chien, Bien sûr, pas pour voir si Cosimo serait là-bas —, mais elle était fatiguée. Au lieu de cela, elle alla trouver Reggie.

En marchant entre les roulottes, elle s'aperçut qu'il faisait vraiment très sombre, juste avant de trébucher. Elle tomba sur ses genoux, puis retint son souffle de douleur alors son genou droit s'était ouvert sur un caillou. « Aie, aie, putain aïe, aïe... » Elle continua à jurer tandis qu'elle se relevait et testait son genou. Rien de cassé, mais ça faisait vraiment très mal.

Biba avança en boitant vers le manoir, mais quand elle arriva au bout de la file de caravanes, quelqu'un se leva et bloqua son chemin — et la lumière. Biba recula brusquement, surprise, puis son pouls commença à battre douloureusement alors que la silhouette la rejoignait. La saisissant par les épaules, son assaillant la frappa durement contre la dernière caravane.

Cosimo avait bavardé avec Channing et Lars pendant un moment, puis il avait réfléchi pour savoir s'il avait envie d'aller chercher de la nourriture. Décidant qu'il n'avait pas très faim, il envoya plutôt un texto à Nicco pour lui dire qu'il avait préparé une voiture pour le récupérer et l'amener sur le plateau le week-end suivant.

Il espérait une réponse, mais il ne s'attendait pas à ce qu'elle soit si rapide. Quand son téléphone bipa, il détesta l'excitation pathétique qu'il ressentait. Ce n'était qu'un texto, bon sang. Son plaisir se dissipa aussi rapidement qu'il était né, devant la réponse laconique de son fils.

Cool.

C'était tout. *C'est mieux que rien*, pensa Cosimo, le cœur serré. À quoi allait ressembler le week-end avec un adolescent monosyllabique ? Merde. Peut-être aurait-il dû y réfléchir un peu plus. Il se demandait s'il pourrait persuader certains des plus jeunes membres de l'équipe de l'aider à trouver des idées pour distraire son fils. Rich et Gunter devraient être en mesure de lui donner un coup de main — Nicco trouverait surement leurs singeries cool et intéressantes. ... Et Biba ? Elle ne pouvait pas avoir plus de vingt-deux ou vingt-trois ans au plus.

Dieu qu'elle était jeune ! Cosimo avait l'impression de bien sentir ses quarante ans ces derniers temps. Aujourd'hui, bien qu'il ne cautionne pas la perte de son second rôle, même pour une journée, il avait finalement été sorti de son apathie, en riant. Dieu, cela lui manquait de ne rien faire et de rire de choses stupides, de n'importe quoi, d'une émission télévisée idiote, ou simplement devant la maladresse d'un ami. Il avait vu l'amitié, la camaraderie entre Biba, Rich et Gunter — ainsi que la profonde amitié entre Biba et Reggie Quinn, le doux geek — que Cosimo croyait, gay – co-auteur du film. Il leur enviait leur confiance, leur complicité et leur connexion.

Quand Grace était morte, il avait laissé s'échapper les amitiés qu'ils avaient partagées, il lui était impossible de passer du temps avec les gens qui les avaient connus en tant que couple. C'était trop douloureux. Mais maintenant, il aspirait à se reconnecter. Peut-être qu'il devrait appeler un ou deux d'entre eux et voir où cela mènerait.

T'as vraiment l'air d'un pauvre mec. Cosimo soupira et attrapa son paquet de cigarettes. Il avait promis à Olivia d'arrêter de fumer avant d'avoir quarante ans, mais il avait bien l'intention de s'en griller une, cette nuit pour se détendre et décompresser.

Il sortit dans la nuit, se tourna vers le lac... et l'entendit crier.

. . .

UNE MAIN lui serra la bouche et le corps de l'homme sera fort contre le sien. Happée par la panique, Biba n'arrivait pas à identifier son agresseur, jusqu'à ce qu'il parle.

« Espèce de petite conne. » Oh mon Dieu, c'était Damon ! « Je sais que c'était toi avec la Krazy Glue. Qu'est-ce que tu croyais faire, sale pute ? »

« Ce n'était pas moi ! Maintenant, enlève tes sales pattes ! » Elle essaya de le repousser, mais il faisait deux fois sa taille et il était sous stéroïdes. Il la poussa plus fort contre la caravane.

« Non, je ne pense pas. Pas avant que tu n'aies payé pour ce que tu m'as fait. Et puisque Stella semble m'avoir fermé sa porte, tu vas prendre sa place. »

Biba était terrifiée lorsque Damon tira sur son jean jusqu'à la moitié de sa cuisse. « Non, non, non... » Elle se tortilla et paniqua, mais il lui couvrit la bouche en plaçant sa main entre ses jambes.

« Allez, beauté, laisse tomber. Je sais que tu ne baises pas avec ce petit enculé de Quinn, alors qu'est-ce que ça peut faire ? »

Il essayait à présent de déchirer sa culotte. Biba mordit fort sa main et, il la relâcha avec un cri douloureux, elle cria le plus fort qu'elle put. Damon, fou de rage maintenant, lui donna un coup au visage et Biba s'effondra. En un instant, il était sur elle et elle sentit la chair chaude de son pénis contre sa cuisse nue. *Non ! Impossible ! Ça ne pouvait pas arriver !*

« S'il te plaît ! Arrête ! Non, je ne veux pas de ça... »

« Je me fous de ce que tu veux ou pas, petite conne. Qui diable es-tu pour décider ? Ouvre tes foutues jambes. »

Biba resserra ses cuisses et Damon, en grognant, lui donna un violent coup de poing dans le ventre. Tout l'air fut expulsé par ses oreilles alors qu'elle haletait de douleur, puis Damon écarta ses jambes et commença à pousser à l'intérieur d'elle.

Puis, venant de nulle part, un tourbillon de rage et de fureur souleva Damon et le jeta aussi loin que possible de Biba, puis deux bras forts l'enveloppèrent dans un manteau.

« Ça va aller, ma belle, je suis là. Rich, Gunter, retenez ce connard jusqu'à ce que la police arrive. Reggie, appelle les flics… je m'occupe de Biba. »

À travers le brouillard de choc et de terreur, Biba réalisa que c'était Cosimo qui la tenait si tendrement. Elle ne pouvait s'empêcher de se blottir dans le confort et la sécurité de ses bras. Il la prit et la porta jusqu'au manoir. Le propriétaire de la maison jeta un regard à Biba avant de se précipiter pour l'aider.

« Emmenons-la dans la suite Lakewood », dit sa douce voix, « le lit est confortable et le feu est allumé. Je vais faire du thé. »

Cosimo la porta dans la chambre comme si elle ne pesait rien et la posa doucement sur le lit. Biba paniqua à la pensée de le voir la quitter, mais comme il tira le drap sur elle, il resta, ses bras enveloppés autour d'elle.

« Ne t'inquiète pas ma douce. La police sera bientôt là et tu verras un médecin. Il lui caressait les cheveux, et elle sentit ses lèvres s'appuyer sur sa tempe.

Biba laissa le choc et la terreur s'infiltrer en elle. « Je suis vraiment désolée, Cosimo, » dit-elle, « je ne l'ai pas vu venir. »

« Ne t'inquiète pas, Biba. Damon ne te dérangera plus jamais s'il veut avoir encore une carrière. Il devrait être en prison. Est-ce qu'il t'a fait mal ? »

Elle acquiesça. « Mais il n'a pas… Je veux dire, je ne l'ai pas laissé… » Elle ne pouvait pas prononcer le mot « viol » à haute voix.

Cosimo bougea pour pouvoir étudier son visage. « Tu as bien fait. Tu as fait exactement ce qu'il fallait faire. » On frappa à la porte et Cosimo la regarda. « Tu es prête ? »

Elle acquiesça. « S'il te plaît, ne me laisse pas toute seul. »

Il appuya son front contre le sien. « Jamais » murmura-t-il. « Je ne te quitterai jamais. »

Et à ce moment-là, ils surent tous les deux que quelque chose venait de changer irrévocablement entre eux.

4

CHAPITRE QUATRE

L'entretien avec la police fut déchirant, entendre ce que Biba avait vécu était extrêmement difficile. Damon avait été arrêté, mais la police les avertit qu'avec ses relations et son argent, il serait bientôt libéré sous caution. Cosimo avait assuré à la police que la sécurité sur le plateau serait renforcée. « Il ne s'approchera plus de qui que ce soit ici », dit-il, sa voix très dure.

Il avait appelé Rich et Gunter, et après leur avoir passé un sacré savon pour avoir traîné Biba dans leurs bêtises, il leur avait demandé d'engager plus d'agents de sécurité. « Tracy ne doit plus jamais remettre les pieds ici, il est grillé, vous comprenez ? »

Rich et Gunter semblaient tous deux choqués par les événements de la soirée. Rich jeta un coup d'œil par-dessus l'épaule de son patron pour regarder la porte fermée de la suite. « Pouvons-nous aller voir Biba ? Je dois m'excuser. »

Cosimo secoua la tête. « Le médecin est avec elle... il est... en train de rassembler des preuves. »

Les visages de Gunter et de Rich semblaient aussi écœurés que celui de Cosimo. « Mein Gott. » Gunter secoua la tête et Cosimo soupira.

Gunter et Rich avaient l'air aussi dégoutées que Cosimo. « Mein Gott » dit Gunter en secouant la tête. Cosimo soupira.

« Je pense qu'elle a besoin de paix et de calme. »

Les mots sortaient à peine de sa bouche que Stella entra dans la pièce, ses peignoirs et foulards volants autour d'elle, le visage pâle — mais toujours magnifiquement maquillée. « Cosimo, Dieu merci. » Elle posa ses mains sur le torse de Cosimo et le regarda dans les yeux. « Comment est-elle ? Est-elle gravement blessée ? Et toi ? »

Cosimo s'extirpa de l'emprise de Stella et la repoussa doucement. « Biba va bien. Elle a juste besoin de repos et d'attention pour un jour ou deux. Peux-tu t'en sortir sans elle ? » La manière dont il formulait la phrase était sans équivoque. *Tu dois t'en sortir sans elle, que ça te plaise ou non.*

Stella avait évidemment décidé d'être magnanime. « Bien sûr, bien sûr. Oh mon Dieu, quelle chose terrible. Je m'en veux. »

Cosimo hocha la tête en direction de Rich et Gunter, qui à son signal, s'échappèrent immédiatement. Cosimo s'assit et ne souhaitait qu'une seule chose, de pouvoir fumer à l'intérieur, mais à la place, il se prépara à entendre la litanie de plaintes de Stella.

Stella faisant de grands gestes avec ses mains. "Je savais qu'il allait poser problème. J'aurais dû protéger Biba, me protéger moi-même. Je suis désolée, Cosimo. Je le suis vraiment. »

Oh mon Dieu, ça allait être une longue nuit. « Stella... Je pense que le problème de Damon est réglé. Les récriminations sont inutiles. Damon est le seul à blâmer, personne d'autre. »

Stella se rongea les ongles. « Tu l'as viré ? »

« Évidemment. Heureusement, j'avais déjà quelques autres candidats choisis en cas de problèmes avec Damon. »

Stella sourit. « Tu connaissais évidemment sa réputation. »

« Ce n'était pas mon premier choix pour ce film. Le studio le voulait. Je pense qu'ils voulaient capitaliser sur votre relation hors écran. »

Stella rigola doucement. « Quoi qu'il en soit, ce n'était pas sérieux entre nous, Cosimo, tu le sais. Je n'étais pas prête à prendre au sérieux qui que ce soit, jusqu'à... » Elle évita emphatiquement son regard. « Bien... »

Cosimo dut s'empêcher de lever les yeux au ciel. Heureusement, le médecin sortit de la chambre de Biba. Cosimo se leva pour lui serrer la main.

« Elle ira bien, au moins physiquement. De toute évidence, ce n'est pas à moi de discuter de mes conclusions. Vous devrez donc demander à Miss May. Je lui ai prescrit un somnifère pour ce soir et lui ai conseillé de le prendre. Juste pour s'assurer qu'elle se repose un peu.

« Merci docteur. J'espère — »

« Est-ce qu'elle peut recevoir des visites ? » Stella interrompit Cosimo, et le docteur la remarqua finalement. Ses yeux s'écarquillèrent un peu — visiblement un peu surpris de voir une vedette ici.

« Eh bien... elle a demandé à voir M. DeLuca ou M. Quinn... »

« Bien, c'est très clair », dit Cosimo avec fermeté. « Merci, docteur. » Il attendit de voir le médecin s'en aller, avant de se tourner vers Stella. « Stella, merci, mais je vais m'occuper d'elle. Je te ferai savoir demain matin si quelque chose change. »

Stella était sur le point de répliquer, mais à ce moment-là, Reggie, essoufflé, entra dans la pièce. « Est-ce qu'elle va bien ? Est-ce que Biba va bien ? »

Cosimo le calma. « Tu peux y aller », dit-il doucement en lui tapotant l'épaule. « Elle veut te voir. »

Il fit un signe à Stella, lui signifiant qu'elle devait y aller. Il fut soulagé de voir qu'elle avait compris l'allusion. « Tiens moi au courant si tu as besoin de quoi que ce soit ». Elle lui toucha de nouveau la poitrine, puis partit. Son parfum, lourd et séduisant, la suivit et Cosimo soupira.

Il s'assit lourdement, finalement, et tenta de comprendre l'horreur de ce qui venait de se passer. Le studio serait sans doute outré, mais au moins il pourrait se défendre. Damon avait été leur choix. Ils manipuleraient l'histoire à leur guise, et Cosimo et Biba allaient devoir se taire. Cosimo ne se souciait pas de lui-même, mais si le studio décidait qu'elle était remplaçable... non. Il la protégerait jusqu'à ce qu'ils abandonnent cette idée — c'était une évidence. Ils n'auraient pas dû employer un violeur pour ensuite blâmer la victime. Qu'ils aillent se faire foutre.

La colère le consumait totalement, mais plus que cela, il ne pouvait s'empêcher d'entendre ce hurlement — son cri terrifié, horrifié. Biba ne lui avait pas semblé être quelqu'un qui avait facilement peur. Mais le cri qu'elle avait poussé était un cri de terreur pure. Dieu, pauvre gamine.

Il se frotta les yeux, épuisé. *Que le monde et tous les prédateurs qu'il renferme aillent se faire foutre.* Il ne se souciait pas du fait qu'il allait devoir arrêter de tourner quelques jours. Il savait qui il appellerait pour remplacer Damon, son vieil ami Sifrido Tofaro. Sifrido était devenue une star montante à Hollywood après avoir été pendant plus de 10 ans l'un des meilleurs en Italie. Il serait parfait pour le rôle d'Henry dans ce film. Il l'appellerait demain matin.

Cosimo entendit Reggie sortir de la chambre de Biba et leva les yeux. « Elle va bien ? »

Reggie hocha la tête, les traits tirés. « Ouais, ça ira. Elle est juste choquée, je pense. C'est... et bien... ce n'est pas la première fois... Peu importe. Merci, Cosimo, vraiment. Merci d'avoir veillé sur elle. »

« C'est normal. »

Reggie acquiesça. « Tu vas rester ici ? »

« Pour ma propre tranquillité d'esprit. »

Reggie lui sourit. « Cool. Biba est toujours réveillée si tu veux y aller. Je sais qu'elle veut te remercier elle-même.

"Ce n'est pas nécessaire, mais je vais aller lui dire bonne nuit. Merci, Reggie. »

« On se voit demain matin. »

BIBA ENTENDIT DOUCEMENT FRAPPER à la porte et son cœur s'emballa. « Entrez. »

Elle soupira presque de plaisir quand Cosimo entra. Mon Dieu, cet homme était si... si *beau*. C'était le seul mot valable pour le décrire. Le sédatif que le médecin lui avait administré commençait à faire son effet et son esprit commençait à s'embrumer. Elle lui sourit. « Bonjour, encore une fois, mon sauveur. »

Son sourire était doux. « N'importe qui aurait fait la même chose. Comment te sens-tu ? »

Elle acquiesça. « Bien. Un peu stone, le docteur m'a donné un bon truc. »

Cosimo éclata de rire. « Bien, tu le mérites. Écoute, prends autant de temps que tu veux pour te remettre. »

Elle tendit sa main et il la prit, passant ses doigts entre les siens alors qu'il était assis sur le bord du lit. Son pouce caressa doucement le dos de sa main. « Merci Cosimo. Sincèrement. »

Cosimo hésita avant de passer un doigt sur sa joue. « Je ne laisserai jamais personne te faire du mal », dit-il, la voix brisée. « Damon est en prison. S'il ne veut pas y rester, il ne s'approchera plus jamais de toi ni de ce plateau, je te le promets. » Il soupira. « Je suis vraiment désolé que cela soit arrivé, Biba. J'ai déjà botté le cul de Rich. »

Ses yeux s'ouvrirent largement. « S'il te plaît, ne les vire pas. »

« Ce n'est pas mon intention, ne t'inquiète pas. Damon... était une bombe à retardement. Reggie m'a dit qu'il t'avait déjà harcelé. »

« Un peu. Rien que je ne puisse gérer. »

Cosimo sourit. « Je te crois. »

Ils se regardèrent, se tenant toujours la main. Le silence se prolongea, mais ni l'un ni l'autre ne se sentait mal à l'aise. Finalement, Cosimo, le regard interrogateur, rit brièvement. « Qu'est-ce qui se passe ? »

Biba, le visage brûlant, sourit. « Je ne sais pas. Mais je... j'aime ça.

Cosimo lui caressa les mains. « Moi aussi. »

Bon Dieu, elle voulait tellement l'embrasser, mais elle savait que ce ne serait pas bien. Il était son patron et il venait juste de l'empêcher d'être violée ou même pire. « La naissance d'une amitié, c'est un bon début », dit-elle doucement, et Cosimo hocha la tête.

« Dieu sait que c'est une chose dont j'ai besoin en ce moment, l'amitié. »

Biba lui serra la main. « Je suis désolé pour ta femme, Cosimo. Reggie m'a parlé d'elle. »

« Merci ma douce. Écoute, mon fils vient de Seattle dans une semaine ou deux. Il… il a seize ans et qu'il n'aime pas beaucoup son père pour le moment. Si tu as des idées sur la façon de le divertir, je suis tout ouïe. »

Biba sourit. « Je vais y penser. »

Cosimo hocha la tête et à contrecœur, sembla-t-il, il lui lâcha la main. Il se pencha en avant et appuya ses lèvres sur son front. « Repose-toi maintenant, Beebs. Et on verra comment tu te sens demain matin. »

Tout son corps implorait qu'il embrasse sa bouche, mais il se leva et quitta la pièce, lui lançant un dernier sourire dévastateur avant de fermer la porte derrière lui.

Biba s'allongea, sentant le sommeil commencer à envahir son corps. Son estomac lui faisait mal là où Damon l'avait frappé, mais elle ne s'en souciait pas. Elle allait bien. Et elle avait un nouvel ami.

Quelques instants avant de s'endormir, elle se dit qu'elle ne devait pas craquer pas pour Cosimo DeLuca, mais elle savait, au fond d'elle-même, que ce c'était déjà trop tard.

5

CHAPITRE CINQ

Le lendemain matin, Biba se réveilla, la tête embuée par le somnifère. Elle se retourna dans son lit et regarda le réveil. Cinq heures. Elle s'allongea en soupirant, le somnifère n'avait pas fait effet très longtemps. Son estomac gronda et elle se rendit compte qu'elle mourait de faim. C'était certainement ça qui l'avait réveillée. Elle se laissa glisser du lit et enfila une robe de chambre. En ouvrant la porte de la suite, elle fut étonnée de voir Cosimo, affalé dans un fauteuil, la tête appuyée sur sa main. Il était resté.

Tourmentée et bouleversée, Biba s'accroupit à ses côtés. « Cosimo ? » Sa voix était un murmure. Il ne bougea pas. Biba, la main tremblante, le toucha, sa main reposant légèrement sur son ventre. « Cosimo ? »

Cosimo ouvrit lentement les yeux et la regarda. Biba en eut presque le souffle coupe. La main de Cosimo couvrit sa main posée sur son ventre, mais il resta silencieux. Biba se pencha et embrassa sa bouche, juste une fois, légèrement...

Les mains de Cosimo glissèrent alors dans les cheveux de Biba, sa bouche ferme contre la sienne alors qu'il l'embrassait, presque féroce dans son désir pour elle. Alors qu'il se levait, il la souleva, il la regarda attentivement. « Tu es sûr ? »

Biba hocha la tête, sachant que ce moment était celui qui ferait basculer sa vie pour toujours. Dans la chambre à coucher, elle retira son chandail, passant légèrement ses mains sur son torse à lui. Ses mains étaient sur la ceinture de son jean, ils se déshabillaient, s'embrassaient, les lèvres exigeantes, laissant parler la soif qui les animait.

Il la reposa sur le lit et lui prit les jambes pour les mettre autour de sa taille. « Biba… » murmura-t-il en glissant doucement en elle…

BIBA OUVRIT LES YEUX. *Merde. Oh merde.* C'était juste un rêve… elle regrettait tellement de s'être réveillée avant de pouvoir imaginer ce que serait l'amour avec Cosimo DeLuca. Elle repoussa les draps sur le lit, son corps un peu froid et raide. Son ventre lui faisait très mal et quand elle releva son t-shirt, elle vit l'hématome avec l'empreinte du poing de Damon sur sa peau. *Quel connard.*

Biba se leva du lit en poussant un petit gémissement. Il était encore tôt, la lumière bleu pâle de l'aube luisait furtivement à travers la fenêtre. Elle enfila ses baskets et se faufila hors de la chambre. Comme dans son rêve, Cosimo était endormi dans le fauteuil. Elle sourit. Elle trouva une couverture de laine et la déposa doucement sur lui. Il semblait avoir besoin de sommeil, et elle traça doucement les ombres violettes de ses yeux du doigt.

Elle prit un bout de papier et griffonna à la hâte un mot avant qu'il ne se réveille.

COSIMO,

Merci beaucoup de ce que tu as fait pour moi la nuit dernière. Je ne pourrai jamais assez te remercier.

Je me sens beaucoup mieux aujourd'hui, je vais donc retourner travailler. Je vais essayer de penser à ce que tu pourrais faire avec ton fils.

Merci encore,

Biba.

. . .

BIBA FIT UNE PAUSE, puis effaça son nom et écrivit : *Ton amie, pour toujours, Biba.* Elle posa le mot en équilibre sur son ventre, persuadée qu'il ne tomberait pas, résista à la tentation de caresser le muscle dur sous la chemise de coton et le laissa dormir.

ELLE REVINT LENTEMENT vers les caravanes, se demandant si elle devait se rendre directement chez Stella. Il devait déjà être près de six heures du matin et ils commençaient à tourner à sept heures du matin. Elle ouvrit la porte de la caravane pour voir Stella déjà réveillée et habillée. Biba sourit à sa patronne. « Salut »

"Salut à toi." Stella l'étudia. "Comment vas-tu ?"

"Courbaturée, mais sinon ça va. Tu veux un café ?

'Ça arrive. J'ai commandé le petit-déjeuner pour nous deux.

Biba cligna des yeux. « Quoi ? »

Stella sourit. « Je ne suis pas totalement sans cœur, Biba. Tu as passé une mauvaise nuit. Viens, assieds-toi. Pas de travail pour toi aujourd'hui. »

Stella, bien sûr, ne serait pas Stella si elle ne connaissait pas les moindres détails de l'incident. Elle tira donc les vers du nez à Biba. Au grand soulagement de Biba, elle ne s'attarda pas sur l'attaque, mais sur la façon dont Cosimo se comporta après.

« Il a été très gentil », lui dit Biba, « gentil et *professionnel.* » C'était presque la vérité. Elle sentait toujours le contact de sa main sur sa joue — la tendresse, l'intimité du geste —, mais pour rien au monde, elle n'aurait partagé ce détail avec Stella.

Elle savait ce que Stella voulait, bien sûr. Elle voulait savoir si Cosimo avait parlé d'elle. Peu lui importait que Biba passe du temps avec le réalisateur. Stella n'aurait jamais pensé que Cosimo et Biba pourraient avoir quelque chose, et l'idée d'une attraction entre eux était risible pour la star de cinéma blonde.

Biba était heureuse que les choses se passent ainsi. Cela signifiait que Stella n'aurait pas l'occasion d'être jalouse si elle voyait Cosimo et Biba parler. Elle avait vraiment envie de lui parler, de tout savoir sur lui, sur son fils, sur sa vie. Elle avait eu un avant-goût de ce que pouvait être une amitié avec lui, et Biba en voulait plus.

Après le petit-déjeuner, Stella sembla oublier qu'elle avait donné à Biba un jour de congé, mais Biba était reconnaissante de pouvoir effectuer ses tâches journalières pour l'actrice. Elle n'était pas du style à rester inactive, et plus vite elle retournerait au travail, supposait-elle, plus vite la fascination de ses collègues pour ce qui était arrivé disparaîtrait.

Cosimo avait été surpris de voir Biba revenir aux côtés de Stella sur le tournage. Il sourit à la jeune femme et elle lui rendit son sourire. « Tu vas bien ? » Il lui dit, et elle acquiesça, son doux visage s'éclaira.

Cosimo sentait un changement à l'intérieur de lui. Biba May avait presque la moitié de son âge, mais il y avait quelque chose dans sa nature, son esprit, la façon dont elle traitait Stella Reckless, qui témoignaient de sa maturité. Elle était une vieille âme, comme lui. Elle était belle, mais ce n'était pas ce qui l'attirait. Cosimo avait rencontré, vu et même couché avec certaines des plus belles femmes du monde et savait très bien que la beauté ne voulait rien dire. La bienveillance, l'intelligence, l'humour, c'est ce qu'il cherchait.

Il s'arrêta. Choqué. Il pensait à ce qu'il cherchait chez une femme ? C'était nouveau. C'est ce que Grace aurait appelé... du progrès. *Grace, tu aimerais Biba... mais je ne cherche pas ton approbation, ce n'est pas ce que tu voudrais de toute façon. Puis-je vraiment passer à autre chose ?* Cosimo vit Biba se déplacer entre les membres de l'équipe, rire et plaisanter avec eux, tout en restant efficace et responsable.

« Cos ? Tu es prêt ? » Lars, son assistant-réalisateur l'appela et Cosimo se concentra à nouveau sur son métier de réalisateur.

. . .

Le tournage se déroula aussi bien que possible. L'homme qui jouait « Thornton », le mari beaucoup plus âgé de Lucy, le personnage de Stella, était une star italienne, une star qui brillait déjà des décennies avant même la naissance de Stella. Franco Discali était un vieux gentleman, respectueux, mais qui aimait flirter avec les membres féminins de l'équipe. Il n'avait aucune patience pour les caprices de diva, il adorait Biba qui le lui rendait bien. Il était franc et érudit, et elle adorait lui parler du cinéma et de sa carrière.

Et, alors qu'il attendait pour filmer sa prochaine scène, il héla la jeune femme. « *Buongiorno*, Biba May. »

Biba éclata de rire. Franco l'appelait toujours par son nom complet et Biba ne savait pas si c'était parce qu'il pensait que c'était son nom complet — comme Biba-May Bloggs — ou s'il aimait simplement utiliser son nom complet. C'était la façon de Franco de faire de l'humour.

« *Buongiorno*, Franco. Vous avez tout ce dont vous avez besoin ? »

« Absolument. J'aimerais que Stella se dépêche et lise ses lignes. Elle semble flirter avec Cosimo au lieu de jouer. »

Biba jeta un coup d'œil à Stella, qui frottait sa main contre le bras de Cosimo. Elle détourna les yeux, essayant de réprimer la morsure de jalousie qu'elle commençait à un peu trop bien connaitre. Malgré tout, elle ne pouvait s'empêcher de parler de Cosimo à Franco.

« Vous avez déjà travaillé avec Cosimo, n'est-ce pas ? »

« Plusieurs fois depuis le début de sa carrière. » Il y avait une pointe de fierté paternelle dans la voix de Franco. « Je n'ai jamais vu personne avec une telle vision. J'aurais dû prendre ma retraite il y a dix ans, mais je voulais continuer à travailler avec lui. Je joue seulement dans les films de Cosimo maintenant. »

Biba était touchée. « C'est un homme bon. »

« Effectivement, il est vraiment exceptionnel. Je connaissais sa mère, à l'époque. » Franco sourit à Biba. « Tu as quelque chose d'elle. »

« Vraiment ? »

« Tu as la même gentillesse. Elle t'aimerait vraiment. Franco regarda Stella et sa bouche se contracta en un sourire narquois. « Pas du tout comme Mme Reckless. Elle n'a aucune subtilité, n'est-ce pas ?

Biba sourit. « Malheureusement pas du tout. Bizarrement, je l'admire de toujours dire ce qu'elle pense. »

"Mais elle n'a aucun mystère, aucun d'attrait." Franco l'étudia. "Cosimo m'a raconté ce qui s'est passé, Biba May. Je suis vraiment désolé. »

Biba sentit l'émotion l'étrangler, et elle hocha simplement la tête. « Merci, Franco. »

LE TOURNAGE se passa sans anicroche, le reste de la journée, et ce n'est qu'à l'heure du repas que Rich vint lui parler. Pour une fois, ses yeux bleus étaient sérieux. « Beebs, je suis vraiment désolé. Je n'avais aucune idée que Damon réagirait comme ça. »

Biba lui sourit. « Ne t'inquiète pas pour ça, Rich, vraiment. Il est parti, c'est tout ce qui compte. Cosimo t'a passé un savon ? »

« Un peu, mais c'était mérité. » Il lui sourit tristement. « Mais il m'a dit que tu lui avais demandé de ne pas me virer. Je suis vraiment reconnaissant, Beebs. »

Biba le serra dans ses bras. Rich avait un cœur gros comme ça, même s'il était parfois irréfléchi. Il la serra dans ses bras. Ils se connaissaient depuis assez longtemps maintenant, ils étaient aussi proches que...

« Beebs ? »

« Oui ? »

« Peut-être qu'un de ces soirs... je pourrais te sortir ? »

Biba leva les yeux vers lui. Il était indéniable qu'il était absolument magnifique, avec ses cheveux noirs, ses yeux bleus et son sourire tellement sexy... et elle était vraiment flattée qu'il lui demande cela, mais...

Elle jeta un coup d'œil à Cosimo. *Il est trop bien pour toi ma belle et tu le sais. C'est une adulte et tu n'es qu'une gamine.* * Elle sourit à Rich. « Ce serait bien... je dois te dire que je ne, euh... je ne cherche rien de sérieux. »

Rich sourit. « Moi non plus. Je pensais juste que nous pourrions passer du bon temps.

Le genre de bon temps auquel Rich faisait allusion n'était pas ce qu'elle recherchait non plus, mais Biba lui expliquerait plus tard. Rich n'était pas du tout menaçant, du moins, Biba se sentait en sécurité avec lui ce qui était le principal.

Cosimo les regardait, il croisa le regard de Biba, dont le ventre frémit de désir. Elle lui adressa un demi-sourire puis quitta son champ de vision. Elle allait devoir dire à Rich que cela ne les mènerait nulle part. Mais l'idée de passer une soirée avec lui qui savait toujours s'amuser était probablement ce dont elle avait besoin maintenant — et s'il se passait quelque chose, cela l'empêcherait au moins de penser à Cosimo DeLuca.

Après le dîner, Cosimo la rattrapa alors qu'elle marchait lentement vers les caravanes. « Biba. »

Sa peau trembla de plaisir et elle lui sourit. La façon dont il prononçait son nom était incroyablement sensuelle, affreusement intime. Elle voulait se jeter dans ses bras, respirer son odeur boisée et épicée, appuyer sa bouche contre ses lèvres.

Merde. Arrête. « Comment vas-tu ? »

Elle acquiesça. « Je vais bien, honnêtement. Stella m'a fait courir partout, donc je n'ai pas eu le temps de m'asseoir et de penser. Ce qui est une bonne chose. »

Cosimo fronça un peu les sourcils. « Mais, est-ce que tu as réussi à intégrer ce qui s'est passé ? »

Biba ne savait pas comment lui répondre. « C'est arrivé. Je ne peux pas... me laisser submerger par cela. »

Ses yeux étaient si sérieux, si intenses, lorsqu'il les plongeait dans les siens. "Ma douce... peut-être que tu devrais voir un conseiller ? Je m'inquiète des répercussions que cela pourrait avoir sur toi, plus tard. »

Dieu qu'il était adorable. « Je vais bien, Cosimo, je te promets. Mais j'apprécie ton inquiétude. »

S'il te plaît, touche-moi, s'il te plaît, ne me touche pas. Biba ne pouvait pas détourner le regard du sien. Les doigts de Cosimo se levèrent pour se poser sur son visage, puis ils retombèrent comme s'il réalisait ce qu'il était sur le point de faire. Il détourna le regard.

« Il y a du brouillard sur le lac. J'y serai ce soir vers dix heures, si toi et le chien du gardien êtes partants, rejoignez-moi. Si tu as envie de parler.

Biba pouvait voir que ses joues étaient un peu rouges et elle sentit son propre visage brûler. Elle acquiesça. « Je pense que c'est une bonne idée. » Mon Dieu, tout était si bizarre et pourtant enivrant.

« Bien. À tout à l'heure, alors. » Il sourit, les yeux plissés, puis il acquiesça et s'éloigna. Biba le fixa. Pourquoi diable cet homme avait-il eu un tel effet sur elle ? Un pouls battait régulièrement entre ses jambes et elle voulut le suivre, l'envelopper de ses jambes et lui demander de la baiser…

Une douche froide, une douche glacée était ce dont elle avait besoin maintenant. Elle se détourna et retourna dans sa chambre.

Il observa Biba May pendant qu'elle parlait à Cosimo DeLuca. C'était intéressant. Il y avait clairement quelque chose entre eux, c'était évident par la façon dont ils se regardaient. Bien. Cela voudrait dire que l'assistante de Stella serait distraite et qu'il pourrait s'approcher de la blonde.

Elle hantait ses rêves depuis son adolescence. Il se fichait qu'elle soit beaucoup plus âgée que lui. Sa peau lisse et ses yeux bleus comme des glaciers le remplissaient de désir. Bientôt, il enfouirait sa queue profondément dans sa chatte chaude et accueillante et elle lui dirait encore et encore combien elle l'aimait. Puis, une fois le tournage terminé, ils iraient dans sa cabane, dans les bois de l'Oregon, et il lui montrerait avec son couteau à quel point elle comptait pour lui avant de la rejoindre dans le monde éternel de la mort.

6

CHAPITRE SIX

Il faisait plus sombre ce soir-là, la lune était couverte de nuages, alors que Biba descendait vers le lac. Elle avait décidé de ne pas amener le chien, il allait certainement s'ennuyer, si Cosimo et elle restaient assis à ne rien faire d'autre que parler.

Le sourire de Cosimo quand il la vit lui fit battre le cœur. « Bonsoir » dit-elle timidement.

Cosimo hocha la tête en direction d'une petite jetée le long du rivage. « C'est privé. »

Au bout de la jetée, il y avait un petit banc au-dessus duquel une lampe projetait une faible lumière. Cosimo ôta son chandail et le drapa sur les épaules de Biba quand elle frissonna. La chemise de mousseline de couleur crème qu'il portait était légèrement transparente et Biba dut détourner le regard de la forme de sa poitrine sculptée, de son ventre plat et de l'empreinte de son nombril.

Ils s'assirent l'un près de l'autre sur le banc, sa cuisse appuyée contre la sienne. La brume qui les recouvrait leur apparut dans un brouillard blanc fantomatique. Le bras de Cosimo était sur le dessus du banc, ses doigts proches du bras de Biba. Si elle bougeait un peu, son bras l'enserrerait...

Elle se sentait essoufflée et timide. Cosimo l'étudiait. « C'est beau ici, n'est-ce pas ? »

Elle acquiesça. « Oui, c'est magnifique. »

Ils se regardèrent. Les yeux de Cosmo étaient sombres. « Biba... si tu savais ce à quoi je pense maintenant... mais je suis tellement plus vieux que toi et je suis ton patron. »

« Je sais tout cela. Mais tu n'es pas vieux du tout. »

Cosimo sourit légèrement. "Puis-je te demander ton âge ?"

Biba pensa l'espace de quelques secondes ajouter quelques années à son âge, mais elle savait qu'elle ne pouvait pas mentir à cet homme. "Vingt-deux."

Il gémit et elle rit. "Cosimo, tu ne peux pas être plus vieux que..." Puis elle se souvint qu'il avait un fils de seize ans. "Tu as dû avoir Nicco très jeune. À peine adolescent. »

Cosimo éclata de rire, son sourire éclairant son visage. « Mon Dieu, tu es plus proche de son âge que du mien et... »

Biba se rapprocha et appuya ses lèvres sur les siennes. Il était impossible de se retenir plus longtemps. Cosimo l'embrassa en retour, ses doigts glissant dans ses cheveux, ses lèvres tendres contre les siennes. Quand ils se séparèrent, ils étaient tous deux à bout de souffle. Cosimo ferma les yeux et appuya son front contre le sien. « Nous ne devrions pas... mais, mon Dieu, je suis content que nous l'ayons fait. »

Biba prit son visage dans ses paumes. « J'en rêve depuis la nuit dernière. »

« Moi aussi. J'ai juste peur que cela fasse de moi un vieux pervers. »

Ils éclatèrent de rire ensemble. « Eh bien, je suis donc une jeune perverse. J'avais tellement besoin de te toucher. »

Cosimo lui prit la main et la pressa contre sa poitrine, sur son cœur. "Tu ressens ça ? Il n'a pas battu comme ça depuis... »

« Depuis Grace. » Biba hocha la tête, elle ne ressentait aucune gêne à parler de la femme de Cosimo. « Je suis honorée. »

Ses mains tremblantes, elle porta celles de Cosimo sur sa poitrine, sa grande main recouvrant son sein gauche. Cosimo caressa son mamelon du pouce et Biba frissonna. Elle s'éloigna de lui et tira son t-shirt par-dessus la tête pendant que Cosimo l'observait, puis elle chevaucha ses genoux. Ses bras se serrèrent autour de sa taille, lui caressèrent le dos alors qu'il regardait sa peau caramel, ses seins dressés, la courbe douce de son ventre. « Mon Dieu, tu es belle », murmura-t-il. Biba emmêla ses doigts dans ses boucles noires.

« J'ai tellement envie de toi. »

Avec un grognement, il lui répondit et la posa sur les planches de bois froides de la jetée, couvrant son corps avec le sien. Il embrassa ses lèvres, descendant sur sa gorge, traînant ses baisers dans la vallée entre ses seins, puis vers son ventre. Biba frissonna de désir tandis que ses doigts glissaient sur la ceinture de son jean.

Quand il fit glisser son jean pour découvrir ses jambes, elle sentit ressurgir la terreur familière qui accompagnait toute intimité, mais elle la combattit. Elle avait tellement envie de cet homme, elle le désirait tellement. Les doigts de Cosimo étaient à présent sur sa culotte et la retirèrent doucement le long de ses jambes.

Dans une position si vulnérable, complètement nue avec l'homme qui détenait tout le pouvoir, Biba sentit à la fois de la terreur et du désespoir a son contact qu'elle risquait d'exploser. Elle se ressaisit, désirant ardemment déshabiller Cosimo avec autant de tendresse qu'il l'avait fait

Quand elle libéra son sexe épais et long de ses sous-vêtements, elle le sentit battre et se raidir dans sa main ; le moment était parfait, elle savait qu'elle n'avait jamais rien désiré aussi fort de toute sa vie. Cosimo l'embrassa, ses yeux ne quittant jamais son visage. « Tu es sûre ? »

Biba hocha la tête, sachant qu'elle ne pourrait pas lui cacher sa nervosité. « As-tu un... ? »

Cosimo sourit et attrapa son jean, tirant un préservatif de la poche arrière. « Ne me juge pas mal... je voulais juste être prêt. »

Le fait qu'il ait pensé qu'ils feraient l'amour lui réchauffa le ventre. Cosimo glissa sa main entre ses jambes et commença à la caresser.

Instantanément, son corps réagit comme s'il était attaqué. *Non, arrête ça*, dit Biba à son subconscient avec acharnement. *Je veux cet homme. Ne gâche pas tout.*

Elle se força à se concentrer uniquement sur le beau visage de Cosimo, la douceur de ses lèvres contre les siennes. Elle enveloppa ses jambes autour de sa taille et sentit sa queue contre elle.

« Je te veux, » murmura-t-elle, et Cosimo acquiesça.

« Ma douce Biba... »

Ce n'était pas la faute de Cosimo, bien sûr, et elle le voulait si fort qu'elle en aurait crié. Elle se concentra sur ses baisers, si doux, si aimants. Elle frissonna du plaisir qu'elle ressentait en l'embrassant, mais quelque chose dans son cerveau l'empêchait d'atteindre les hauteurs qu'elle avait imaginées. Quand elle sentit sa queue se présenter à l'entrée de son sexe, son corps paniqua et se raidit. « Non, s'il te plaît arrête... s'il te plaît... je suis désolé. » Elle fondit en larmes.

Cosimo la prit dans ses bras alors qu'elle récupérait, étudiant son visage. « Biba... ça va ? »

Dis-lui. « Non... Cosimo, ce sera ma... première fois. »

Son expression passa de la surprise au choc. Il s'assit. « Ta première fois ? »

Elle acquiesça, se sentant soudain misérable. « Je suis désolée. »

Cosimo se passa la main dans les cheveux. Il était magnifique à regarder : son corps dur, sa queue encore à demi érigée, une fine pellicule de sueur sur sa peau olive malgré la fraîcheur de la brume du lac. Biba s'assit, se sentant exposée, ce que Cosimo sembla remarquer, il tira son chandail sur son corps nu et s'installa à côté d'elle, l'enveloppant dans ses bras. « Tu n'as absolument pas besoin de t'excuser, jamais... C'est moi, j'ai l'impression de t'avoir laissé tomber. Si j'avais su... »

« Je te voulais, » dit fermement Biba. « Je te veux toujours. Mais quelque chose en moi est... brisé. »

Cosimo fronça les sourcils. « Être vierge ne signifie pas être brisé, ma belle. » Il la chercha des yeux et elle vit un éclair de compréhension traverser son regard. « Oh, mon Dieu... *Biba*... »

Elle acquiesça. « Un ami de la famille quand j'avais douze ans. Pas de viol, mais il des attouchements. J'ai attendu de rencontrer l'homme avec lequel je voulais vraiment le faire. Et je t'ai rencontré. »

« Mon Dieu. J'ai des envies de meurtre. » Il appuya ses lèvres sur son front. « Comment tes parents ont-ils réagi ? »

Elle se serra la gorge et elle se pencha dans ses bras. « Ils ne m'ont pas cru. »

« *Jésus-Christ.* » Il cracha les mots, clairement furieux, et ses bras se resserrèrent sur elle. « Chérie, j'aurais aimé que tu m'en parles avant. »

Elle leva les yeux vers lui. « Voudrais-tu encore de moi si je l'avais fait ? »

Ses yeux verts étaient troublés. « Nous aurions dû en parler... Dieu, Biba. Je suis assez vieux pour être ton père. »

« Ne dis pas ça, Cosimo. Je ne me suis *jamais* senti comme ça auparavant. » Biba l'embrassa, mais elle pouvait le sentir se retenir maintenant. *Mon Dieu...* « S'il te plaît, ne me repousse pas. »

Cosimo fronça les sourcils. « Ce n'est pas ce que je fais. » Il commença à mettre ses vêtements sur elle et finalement, ils s'habillèrent tous les deux.

Biba se sentit misérable sur le chemin du retour vers le manoir. Cosimo lui prit la main. « Biba, nous allons retourner dans ma chambre et nous allons parler. D'accord ? »

Elle hocha la tête, mais elle pouvait sentir qu'il était sur le point de lui dire qu'ils ne pourraient pas continuer. Elle avait envie de pleurer. Elle le désirait tellement, mais son cerveau avait dérapé.

Un homme tel que lui ne voudrait probablement pas d'une gamine sans expérience, et abimée par un lourd passé. *S'il te plaît, ne me renvoie pas...*

Biba était sur le point de l'arrêter et de le prier de ne pas la quitter, mais un cri perça la nuit et des coups de feu retentirent. En se regardant avec horreur, Cosimo et Biba n'hésitèrent qu'un moment avant de courir vers l'endroit l'origine du bruit.

7

CHAPITRE SEPT

Stella était en pleine hyperventilation alors que Gunter tentait de la réconforter. « Quelqu'un a essayé de m'emmener, » gémit-elle en voyant arriver Cosimo et Biba.

« Nous avons entendu un coup de feu », dit Cosimo en regardant Gunter, qui acquiesça.

« Rich est parti à la poursuite du gars. »

Stella, reniflait, manifestement effrayée, elle quitta les bras de Gunter pour se réfugier dans ceux de Cosimo. Cosimo n'avait d'autre choix que de poser ses bras autour de la femme en détresse. « Ça va aller. Tu es en sécurité maintenant. »

Rich revint alors, en sueur, les yeux hagards. « Le gars s'est échappé, je suis désolé. Stella, ça va ? »

Stella, heureuse dans les bras de Cosimo, hocha la tête. « C'était vraiment effrayant. Comment est-il entré ? »

« Eh bien, malheureusement, c'est assez ouvert ici, et le studio ne paiera pas pour une protection totale », Rich était à bout de souffle. « C'est difficile de faire la police avec cet effectif. » Il jeta un coup d'œil à Cosimo. « Désolé patron. »

« Ce n'est pas ta faute. Écoute, engage un peu plus de gars. Je vais payer pour cela. Stella, te sens-tu en sécurité dans ta chambre ? »

Elle secoua la tête. « Peut-être que je devrais me rapprocher de ta chambre, Cosimo. »

Biba sentit un éclair de jalousie la traverser, surtout quand Cosimo hocha la tête. « Nous allons vous procurer une suite dans la grande maison. Biba peut rester avec toi, nous pourrons ainsi vous protéger toutes les deux. »

Stella n'avait pas l'air enthousiaste et Biba était d'accord avec elle. Partager une suite signifierait que ni l'une ni l'autre ne pourrait avoir d'intimité… Cosimo le faisait-il exprès ?

Biba se traîna derrière eux alors qu'ils se dirigeaient vers le manoir. Elle se sentait misérable et coupable. Malheureuse parce qu'elle venait de rater la chance de sa vie avec Cosimo. Coupable parce que manifestement, Stella était en danger. Qu'est-ce qui se passait ?

Rich la rattrapa. « Tu vas bien, Boo ? » Elle acquiesça, mais se sentit encore plus coupable. Elle avait dit oui à un rendez-vous avec Rich et même pas une heure plus tard, elle était nue avec leur patron. Mon dieu, que lui arrivait-il ? Peut-être que Cosimo avait raison. Peut-être que l'incident avec Damon l'avait affecté plus qu'elle n'avait voulu l'admettre.

Elle obtint la réponse un peu plus tard à l'une question qu'elle se posait, quand elle et Stella se retrouvèrent seules. Elles se changeaient pour aller au lit : Stella se promenait était complètement nue, Biba se dissimulant dans son short et son t-shirt discrètement, comme toujours. Elle sentit Stella la regarder.

« Tu étais avec Cosimo plus tôt ? » Stella fumait une cigarette en expirant la fumée par la fenêtre. « Il m'a semblé que vous êtes arrivés à ma caravane en même temps. »

Stella les avait donc observés. « J'étais au bord du lac en même temps que lui, c'est tout », dit Biba avec désinvolture. « Nous venions de nous saluer quand nous avons entendu les coups de feu. » Elle était étonnée de la facilité avec laquelle le mensonge lui venait, mais elle ne voulait vraiment pas affronter la jalousie de Stella ce soir.

« Hm. » Stella essaya pourtant de creuser un peu. « Je ne savais pas que vous échangiez. »

« Il essayait d'être poli. »

Stella semblait satisfaite, mais une heure plus tard, tandis qu'elle ronflait doucement à côté d'elle, Biba ne put s'empêcher de revivre les doux baisers, le goût de sa peau, la façon dont son regard intense faisait palpiter son estomac. Ces merveilleux souvenirs étaient accompagnés d'un cuisant sentiment d'échec, sachant qu'après la façon dont Cosimo avait réagi, il n'y aurait plus aucune intimité avec cette soirée.

Il avait le droit de ne pas vouloir approfondir leur relation, pensa-t-elle, mais la distance entre eux maintenant lui heurtait la poitrine.

Elle tomba finalement dans un sommeil agité, mais Stella la réveilla quelques heures plus tard, lui montrant le message qui lui avait été envoyé.

Stella, chérie

Sache que ce soir n'était que le début. Nous serons bientôt ensemble, mon amour, et tu n'auras plus jamais à t'inquiéter de rien. Si quelqu'un essaie de nous arrêter, sache que je ferai n'importe quoi pour l'arrêter. N'importe quoi. Que ce soit le réalisateur, les équipes de sécurité, ta jolie assistante... ils paieront de leurs vies s'ils tentent de m'arrêter.

Bientôt, ma chérie.

Bientôt.

Cosimo avait appelé le FBI et ils avaient accepté de se charger de l'affaire. « Le gars est cinglé », déclara Luke Harris, l'agent du FBI, en hochant la tête alors qu'ils étaient tous rassemblés dans la salle à manger du manoir. « Heureusement pour vous, notre boulot c'est d'arrêter les cinglés. »

Biba cacha un sourire narquois en entendant les mots de l'agent, jetant un coup d'œil à Reggie. Elle savait qu'il pensait la même chose — ce mec était un idiot. Pourtant, leurs opinions comptaient peu, il s'agissait d'offrir la meilleure protection à Stella. Biba n'avait même compris qu'elle aussi avait été menacée, avant que Cosimo ne prenne la parole. « Agent Harris, j'ai besoin que vous m'assuriez que Stella, Biba et le reste de notre personnel seront en sécurité. »

« Nous ferons ce que nous pourrons, mais je dois dire que, avec tout le respect pour M. Furlough et M. Wolff, votre sécurité est vraiment trop légère. Ce mec a quand même réussi à entrer puis à revenir plus tard pour laisser une note... »

« Peut-être qu'il a laissé la note avant d'essayer de prendre Stella. » Biba prit la parole, voulant défendre Cosimo. « Cela semble plus plausible. »

Harris avait l'air fâché. « Je ne vois pas... »

« C'est plus plausible en effet. Après tout, il a menacé de prendre Stella et c'est ce qu'il a tenté de faire. Peut-être que Stella n'avait pas reçu le message auparavant parce qu'elle était à la réception du manoir ? » La voix de Cosimo était douce, mais Biba y détecta de la colère. Elle était reconnaissante qu'il soutienne son avis.

Harris s'éclaircit la gorge, deux taches roses apparurent sur ses joues. « Nous allons vérifier. Mais ce que j'ai dit à propos de la sécurité tient. Elle a besoin d'être renforcée. »

« Nous y travaillons déjà », Cosimo jeta un coup d'œil à Rich qui acquiesça.

« Nous avons encore dix agents de sécurité et le manoir a proposé de fermer complètement les portes aux personnes extérieures. »

« C'est un début. » Harris se retourna vers Biba et Stella. « Soyez vigilantes, mesdames. Ne vous baladez pas toutes seules. »

Les yeux de Biba se rétrécirent et Stella sembla en colère. « Un si bon conseil, agent Harris. Je vois que l'argent de nos impôts est bien dépensé. »

Il ne comprit absolument pas le sarcasme et il s'éclipsa peu après. « *Tu as demandé des miracles, Theo. Je t'ai donné le F.B.I.* », s'exclama Reggie, imitant d'Alan Rickman dans Piège de Cristal.

Cela dissipa la tension — même Cosimo avait souri. « Écoutez... je suis désolé, les amis. J'ai eu affaire à beaucoup de cinglés dans le passé, mais je vous promets que je ferai tout ce qui est en mon pouvoir pour vous protéger. « Il soupira, se frottant les yeux. Il avait l'air fatigué et inquiet et Biba voulait plus que tout le prendre dans ses bras, l'embrasser, lui dire que tout irait bien.

. . .

Le reste de la journée, il garda ses distances. Ils avaient tous convenu que le mieux serait de travailler pour décompresser et se distraire du malaise que le harceleur de Stella avait réussi à créer. L'actrice, bien sûr, jouait à fond la carte de la victime, mais quand elle était devant la caméra, Biba devait l'admettre, cela prêtait une certaine vulnérabilité à son personnage qui la rendait plus sympathique.

Même si Stella était une diva et une garce, la seule chose que Biba aimait chez elle c'était ses performances. C'était la raison pour laquelle Stella Reckless était la plus grande star de cinéma au monde : elle était magnétique et elle rayonnait. Elle était lumineuse devant la caméra. Stella aimait jouer encore plus qu'elle ne s'aimait elle-même, et ça se voyait. Quand elle ne causait pas de problèmes, elle pouvait réaliser des performances saisissantes, hypnotiques et incomparables. C'est ce qui arriva aujourd'hui et Biba avait vu Franco, sa vedette dans les scènes d'aujourd'hui, relever le défi. Malgré la grande différence d'âge, ils étaient en totale harmonie ensemble, la romance entre eux était tout à fait crédible.

Au cours de l'après-midi, Sifrido, le remplaçant de Damon, était arrivé sur le plateau et avait eu un effet immédiat sur la distribution et l'équipe. Sifrido et Franco, sympathiques, séduisants et enjoués, avaient tout de suite connecté, et Biba savait qu'ils allaient aimer taquiner Stella. Pour sa part, cela ne semblait pas la déranger Stella vu qu'elle adorait être le centre de l'attention.

L'arrivée de Sifrido avait également eu un effet sur Cosimo. Biba pouvait dire qu'ils étaient de vieux amis, à la façon dont ils plaisantaient et à voir comment la tension de Cosimo semblait se dissiper. Elle était contente... même son regard ne croisait toujours pas le sien.

Elle ne voulait pas y penser. Elle allait lui donner du temps. Mais ça faisait quand même mal. Biba décida de se plonger dans le travail pour se distraire. Elle en profita pour passer du temps avec Rich et Gunter. Rich était plus silencieux que d'habitude et plus tard, quand elle lui demanda s'il allait bien, il la tira de côté. “Beebs... Je ne peux pas faire comme si je ne savais pas, mais je vous ai vu. Toi et Cos, au bord du lac. »

Le visage flamboyant, Biba gémit. « Mon Dieu, Rich, je suis vraiment désolée. C'était... ce n'était pas prévu, je le jure. Et, finalement, rien ne s'est passé. C'était un moment de... folie. Je suis désolé."

"Tu ne me dois aucune excuse," dit Rich avec un sourire, "Je sais une chose, nous avons tous connu ce genre de moment. Je ne voulais tout simplement pas faire comme si je ne savais pas. Pas de soucis, vraiment. »

Biba le regarda. « Je t'aime bien, Rich, beaucoup. Ce qui se passe avec Cosimo... Je ne pouvais pas m'en empêcher, et peut-être que ça veut dire quelque chose. »

« Je comprends. Bon sang, écoute, tant que nous sommes amis... »

« *Pour toujours*, Rich. *Pour toujours*."

Rich sourit en lui donnant un coup de coude. « Et si tu l'aimes bien, tu devrais y aller. Cos est un bon gars. »

« Je ne pense pas que ça se répètera de toute façon, mais merci. »

BIBA ÉTAIT de retour dans la caravane de Stella avant même que Stella ait fini de travailler pour la journée. Lorsque sa patronne fit son entrée, elle lui jeta un regard étrange. Biba leva les yeux de son ordinateur portable. « Oh, désolée, étais-je censé t'apporter quelque chose ? »

« Non c'est bon. C'est comme si tu te cachais ici. »

"Je ne me cachais pas, je voulais juste rattraper les mails en retard."

"Bref." Stella s'assit en face d'elle, sortant une cigarette de son sac. "Cosimo a demandé où tu étais allée."

Biba cacha le frisson qui la traversa. "Oh ?"

"Il a dit qu'il voulait parler de sécurité avec toi."

« D'accord. Je devrais aller le chercher. » Elle se leva, essayant de ne pas se précipiter hors de la caravane pour aller le trouver. Elle parcourut le courrier et le tendit à Stella. « Rien de méchant, mais rien d'intéressant non plus. »

Stella jeta la pile sur la table. « Je regardais ça plus tard. Alors, toi et Cosimo, vous semblez bien vous entendre. »

« Comme des collègues de boulot. » Biba détestait mentir, mais elle se sentait obligée de le faire. « Je ferais mieux d'aller le trouver ; il voudra peut-être me mettre au courant des mesures qu'il a prises pour te protéger. »

« OK. » Mais le ton de Stella était glacial — elle ne croyait pas les affirmations de Biba sur une simple amitié avec Cosimo. Biba haussa les épaules et quitta la caravane.

AU MANOIR, elle demanda à la réceptionniste où se trouvait Cosimo. « Je pense que M. DeLuca est dans sa suite », dit le jeune homme avec un sourire. « Voulez-vous que j'appelle ? »

« Oui s'il vous plaît. »Biba attendit patiemment tandis qu'il appela Cosimo. Une seconde plus tard, il lui sourit. « Il vous demande de monter. »

Le cœur dans la gorge, elle monta les escaliers jusqu'au deuxième étage, ayant besoin de l'exercice pour se libérer de sa nervosité. Tapotant légèrement à la porte de Cosimo, elle sursauta encore légèrement quand il l'ouvrit presque immédiatement.

Pendant un long moment, ils se regardèrent, puis il sourit. « Salut. »

« Salut à toi. »

« Entre. »

Il se recula pour la laisser entrer et, quand elle passa, elle sentit l'odeur du savon et du shampooing, vit ses boucles sombres humides, son pull fraîchement enfilé. Ses sens se mirent en alerte et elle vacilla.

« Tu vas bien ? » Cosimo l'attrapa avant qu'elle ne tombe. Biba, mortifiée, acquiesça. « Désolé, j'ai oublié de manger aujourd'hui. »

Il leva les yeux au ciel et lui sourit. « Je sais déjà que cela ne te ressemble pas. »

Dieu, pourquoi son sourire lui faisait-il mal au ventre ? Cosimo appela pour commander un service de chambre pour deux. « Pour une petite fête dinatoire impromptue. »

Biba eut un petit rire. « Est-ce que c'est vraiment une fête quand on est que deux ? »

Cosimo se ravisa. « D'accord, alors un pique-nique dans la suite. »

« Super. »

Cosimo éclata de rire. « Des hamburgers, ça te va ? J'ai commandé leur menu. »

« Parfait. J'ai juste oublié de manger aujourd'hui. »

Cosimo s'assit à côté d'elle et elle s'appuya contre lui. Il mit son bras autour d'elle. « Biba... »

« Je sais ce que tu vas dire. Je suis trop jeune, je suis toujours vierge, mon passé est trop lourd, tu ne veux pas t'encombrer d'une femme avec autant de bagages. »

Cosimo lui adressa un sourire triste. 'Les trois premières choses sont vraies. La dernière, pas franchement. Sauf que... je ne veux pas profiter de toi. Je ne pourrais jamais me pardonner si jamais je te faisais du mal. »

Biba hocha la tête, la tristesse s'infiltrant dans toutes les cellules de son corps. « Je sais. C'est la chose responsable à faire. «

Il appuya ses lèvres sur sa tempe. « Ce n'est pas que je ne te veux pas, Biba, car, Dieu seul sait à quel point j'ai envie de toi. Mais j'ai une responsabilité envers toi, le film et mon fils, bien sûr. »

Biba leva les yeux vers lui — il était tellement beau qu'elle en aurait pleuré. « Je sais. Nicco vient en premier. Et pour être positif, si on arrête avant que ça ne commence vraiment, cela nous donnera l'occasion de devenir de très bons amis. »

Elle le vit se détendre visiblement. « Je le pense aussi. Il n'y a rien que j'aimerais plus. Enfin si, il y a bien une chose, mais ce n'est pas une option. »

« Pas encore... » dit Biba, sa voix était presque un murmure, voulant qu'il soit d'accord. Il rencontra son regard.

« Pas encore. »

Leurs yeux se fermèrent, puis ses lèvres se posèrent sur les siennes. « Bon Dieu », dit-il alors qu'ils s'arrêtaient pour respirer.

Biba eut un petit rire. « Écoute, faisons ceci. Quand le service de chambre arrivera, ce sera le signal pour tout arrêter. C'est à ce moment-là que nous passerons de 'ca' à de simples amis. En attendant...

Il gémit et prit mon visage dans ses mains, ses lèvres contre les siennes. « J'espère qu'ils oublieront notre commande. »

« Moi aussi. »

Mais le service de chambre était arrivé trop rapidement et efficacement, et Cosimo et Biba s'étaient séparés à regret. Alors qu'ils s'asseyaient avec leurs hamburgers, Biba lui sourit. « En fait, une fois que tu auras vu la façon dont je mange, tu seras content qu'on ne soit qu'amis ! »

Cosimo éclata de rire. « Tu crois ? »

Biba prit un énorme morceau de son hamburger, émit un grognement et grommela fort. Cosimo éclata de rire et l'imita allègrement, ils riaient tous les deux comme deux enfants. Biba faillit s'étouffer avec son hamburger. « Je te l'avais dit. »

Cosimo tendit la main et essuya une trace de moutarde sur son visage. « Tu n'as pas exagéré. »

« Alors, en tant qu'Italo-Américain, tu aimes la pizza et tout le reste ? »

« En fait, je suis juste italien. Je suis né à Venise. »

Les sourcils de Biba se haussèrent. « Vraiment ? Eh bien, je savais qu'il ne fallait pas faire confiance aux moteurs de recherche. »

« Tu m'as cherché sur Google ? »

Biba roula des yeux. « *Evidemment* que je t'ai cherché sur Google. Je suis une fille des années deux mille. »

Cosimo gémit encore. « Mon Dieu, je me sens vieux. » Biba sourit.

« Alors, M. Italien, à quoi ressemble la nourriture là-bas ? »

« Sublime. Tu n'y es jamais allée ? Je pensais avoir entendu dire que ton père avait été stationné en Europe pendant un certain temps. »

« En Allemagne. Et il n'était pas du genre à prendre des vacances. Ou à assumer ses responsabilités de père. » Elle ne savait pas pourquoi elle avait laissé échapper cela, mais Cosimo hocha la tête.

« D'après ce que tu m'as dit hier soir, ce n'est pas étonnant. Mon Dieu... il aurait dû croire son enfant. » Il cracha les mots, et Biba fut touchée qu'il soit tellement en colère pour elle.

« Il m'a fallu un certain temps pour comprendre que ce n'était pas un comportement familial normal d'être comme ça, et que ce n'était pas de ma faute. Il m'a laissé tomber, ma mère m'a laissé tomber. Et j'ai parfaitement le droit de leur en vouloir. »

« Si je pouvais retourner en arrière et tuer le gars qui t'a fait ça, je n'hésiterais pas. » Ses yeux verts étaient maintenant presque dangereux, et un frisson lui parcourut la colonne vertébrale. Elle n'avait aucun mal à le croire.

« Merci. » Elle voulait changer de sujet maintenant. « Tu dois être impatient de voir Nicco le week-end prochain ? »

Cosimo hocha la tête, puis soupira. « Oui et non. J'ai le sentiment que ce sera vingt-quatre heures de conversation monosyllabique et de lourds soupirs d'adolescents. »

« Il a seize ans. »

« Ouais. Je vais peut-être te demander une énorme faveur, mais... »

« J'adorerais, » dit-elle en répondant à sa question avant qu'il ne l'ait formulé. « Je peux imaginer des trucs sympas qu'il pourrait aimer... Je pourrais aussi venir avec Reggie. Il semble toujours connaître les meilleurs endroits en ville. »

Cosimo avait l'air soulagé. « Je serais très reconnaissant. Je n'arrive simplement pas à créer une connexion avec lui, pour le moment. »

Biba hocha la tête et pendant quelques minutes, ils mangèrent dans un silence agréable. « Puis-je te dire le fond de ma pensée ? »

Cosimo hocha la tête. « Bien sûr. »

« Arrête de penser que tu es vieux. Tu portes toujours ce regard fatigué sur le visage, mais regarde-toi. Tu n'as que quarante ans et tu fais quinze ans de moins quand tu souris. Je sais que perdre ta femme a dû être le pire, le pire moment de ta vie. Mais elle voudrait que tu sois heureux, Cos. »

Biba devint écarlate après son petit discours. Qui était-elle pour faire la leçon à cet adulte ? Mais il lui sourit. « Tu t'en sors pas mal en tant qu'amie, tu sais. »

« J'essaie. »

Cosimo tendit la main et mêla ses doigts aux siens. Biba pouvait à peine supporter la tension entre eux et retira lentement sa main. « Je ne peux pas. »

« Je sais, je suis désolé. »

Ils finirent leur repas et Biba se leva. « Je ferais mieux d'aller dire à Stella que nous n'avons fait que parler. »

« Nous n'avons fait *que* parler. »

« C'est vrai. » Elle lui sourit alors qu'il la conduisait à la porte. « Merci pour le dîner. »

Il ouvrit la porte pour elle, puis la referma avant qu'elle ne puisse sortir. « Biba... »

Elle pressa ses lèvres contre les siennes. « Je sais. »

Ils s'embrassèrent à nouveau lentement, puis se serrèrent l'un contre l'autre pendant un long moment. « Au revoir, mon pote, » dit-elle doucement, essayant de le faire sourire, mais il secoua la tête.

« Si tu savais ce à quoi je pense. »

Elle lui toucha le visage. « Je *sais* à quoi tu penses. Bonne nuit, Cosimo. »

« Bonne nuit, Biba. »

C'est seulement quand elle sut qu'elle était vraiment seule que Biba éclata en sanglots.

8

CHAPITRE HUIT

« Nicco sera là demain matin », lui dit Cosimo une semaine plus tard. « Il descend en bus. J'ai pourtant dit que je lui enverrais une voiture. »

"Il montre juste son indépendance. Laisse-le faire. »

« Oui, oh grande sage. »

Biba gloussa, le poussant doucement dans les côtes alors qu'ils se trouvaient tous deux dans la file d'attente. Cosimo n'était pas l'un de ces réalisateurs qui demandaient à être servi en premier. Ils se servirent, et s'assirent avec Rich et Gunter. Celui-ci était au milieu d'une de ses célèbres divagations.

« Mais ça existe pourquoi ? Ce sont juste des démons déguisés en abeilles duveteuses, mais sans peluche. Ce sont des diables. »

Rich avait l'air amusé. Biba lui sourit. « De quoi parle-t-il ? »

« Il parle de guêpes. Des putains de guêpes. »

« Des démons. »

« Ce ne sont que des guêpes, mec. »

Gunter murmura quelque chose dans sa barbe, et Cosimo sourit. « Tu as une relation étrange avec le monde des insectes, Gunter. »

« Je ne sais tout simplement pas pourquoi elles gâchent nos vies. »

Biba, prit une cuillerée de muesli, et dit aux deux hommes. « Le fils de Cosimo vient à Tacoma demain. »

« Cool. Qu'est-ce que tu as prévu ? »

Cosimo sourit. « Biba est responsable des activités de la journée. Elle a la très lourde tâche de s'occuper de la mission impossible que j'aime appeler : « Comment amuser un adolescent ».

« Ne t'inquiète pas, Cos, tout est sous contrôle » dit Biba, émerveillée par la facilité avec laquelle ils pouvaient être « justes amis » devant tous les autres. Quand ils s'étaient retrouvés seuls la semaine dernière, ils avaient eu du mal à ne pas enfreindre leur nouvelle règle. Plus de quelques baisers s'étaient glissés au-delà de la « ligne sacrée de démarcation ». « Nicco va être tellement impressionné. Il va dire à tous ses amis à quel point son papa est cool. »

Cosimo renifla. « Quand les poules auront des dents, je suppose. »

« Cosimo ? » Stella apparut, et jeta un regard glacial à Biba. Celle-ci avala ses céréales l'ignorant royalement. « Puis-je te parler une seconde ? »

« Bien sûr. »

Cosimo suivit Stella en dehors du groupe. Stella se tourna pour lui faire face. « Qu'est-ce que tu fais avec Biba ? »

« Pardon ? »

« Les conversations de fin de soirée, les sorties. Elle a vingt et un ans et elle est impressionnable. Je crains qu'elle ait le béguin pour toi. »

Dieu, j'espère bien. « Ne sois pas ridicule, Stella. Elle est mon employée. J'essaye juste de m'assurer qu'elle va bien, et qu'elle ne compte pas mettre en cause la responsabilité du studio. Biba pourrait nous poursuivre pour ce qui est arrivé. »

Stella renifla. « Elle ne ferait pas ça. Je la connais. Elle oubliera vite. »

« Dans quelle mesure connais-tu réellement Biba ? » Cosimo était curieux.

« Assez bien. Laisse-la tranquille, Cosimo. Trouve-toi quelqu'un de ton âge. »

Cosimo ne trouva pas une pointe d'humour pour gérer la situation. « Stella, premièrement, mon amitié avec Biba ne te concerne pas. Deuxièmement, ne me donne pas de leçons lorsque c'est à toi que l'on doit la présence de Damon Tracy sur ce plateau de tournage. »

Il se dirigea vers le manoir, la culpabilité laissant place à la colère. La vérité était qu'il était amoureux de Biba, et il ne faisait pas grand-chose pour s'en empêcher. Il était sincère dans ce qu'il avait dit à Stella, la situation ne la concernait pas, cette conversation avait au moins le mérite d'avoir mis un frein aux velléités de séduction de Stella. Elle avait fini par comprendre qu'il n'était pas intéressé. Cosimo espérait qu'elle ne s'en prendrait pas à Biba pour se venger, mais il avait bien peur que ce soit une réelle possibilité.

Il alla dans sa suite et se déshabilla pour aller dans la salle de bain et prendre une douche. Il devait mettre un terme à l'ambiguïté de sa relation avec Biba. La jeune femme avait d'ailleurs été fidèle à l'accord qu'ils avaient conclu, a l'exception d'un simple baiser. Il était reconnaissant que cela n'ait pas affecté leur amitié.

Demain, elle rencontrerait son fils, un garçon dont elle était si proche en âge et en expérience, et Cosimo se demandait si cela changerait ses sentiments pour elle. Il en doutait.

Il n'arrêtait pas de penser à elle, à ses lèvres douces, à ses grands yeux bruns, à sa peau caramel. Quand il l'avait tenu dans ses bras, complètement nue, il avait été tellement excité. Dieu, il voulait lui faire l'amour !

Peut-être que, dans quelques années, peut-être... mais il savait qu'il se mentait à lui-même. Il avait Biba dans la peau, comme personne auparavant — pas même Grace.

Il parcourait ses notes pour le tournage de la semaine suivante quand on frappa à la porte. Il l'ouvrit pour découvrir son vieil ami Sifrido qui lui souriait. « Déçu que ce ne soit pas une jolie assistante ? »

Cosimo éclata de rire. Sifrido le connaissait bien. « C'est si évident ? »

« Seulement pour ceux qui te connaissent bien. Puis-je entrer ? »

« Bien sûr. Le mini-réfrigérateur est plein si tu veux une bière. »

« Ah, voilà une bonne idée. »

Cosimo prit deux bières dans le réfrigérateur et en tendit une à Sifrido. « Alors, raconte-moi comment ça se passe dans ta vie. Combien de temps ça fait, deux ans ? »

« Cinq, et, ne change pas de sujet. Qu'est-ce qui se passe entre toi et la belle Biba ? »

Cosimo soupira, ses épaules s'affaissèrent. « Je vais avoir l'air d'un vieux con si je te le dis. »

« Pas possible, mon pote. »

Cosimo sourit. « Tu deviens de plus en plus américain chaque jour. »

« Crache le morceau. » Cosimo avait oublié que Sifrido était un type sensé.

Cosimo haussa les épaules. « Je suis fou d'elle. Elle est comme un souffle d'air frais et pur. Elle est intelligente, fine et elle est tellement forte. »

« Et elle est belle. »

« Oui, mais ce n'est pas le plus important. »

Sifrido haussa les sourcils, mais ne fit aucun commentaire. « Est-ce qu'elle va bien après ce que Damon lui a fait ? »

Cosimo hésita. « Je ne sais pas exactement. « Frido, ce que je vais te dire, ne doit pas quitter cette pièce. »

« Tu as ma parole. »

« Nous avons presque fait l'amour l'autre soir. Sur la jetée au bord du lac. »

Sifrido avait l'air impressionné. « Presque ? »

« Elle m'a arrêté, avant que cela n'aille trop loin. Elle m'a dit qu'elle n'était... pas prête. Quelque chose lui est arrivé quand elle était enfant. »

« Elle est vierge ? »

Cosimo hocha la tête, se sentant déloyal envers Biba, mais il ressentait le besoin d'en discuter avec quelqu'un. « L'abus n'a pas progressé jusqu'au viol, ce n'est pas moins horrible. Donc... je ne peux rien tenter avec elle. Ce ne serait pas juste. »

« Pour toi ou pour elle ? » Sifrido prit une gorgée de bière. « Ne penses-tu pas que t'éloigner d'elle alors que vous en aviez envie tous les deux, va lui briser le cœur ? Ma sœur a été violée à vingt-quatre ans. Tu connais Clara. Cela ne l'a pas empêchée de tomber amoureuse. Elle connaissait la différence entre le viol et le sexe. L'un n'est que violence, l'autre vient d'un lien d'amour. Tu veux aider Biba ? Aime-la. Aie confiance en toi. Fais-lui confiance pour apprendre — si elle ne sait pas déjà — la différence. Elle a l'air d'être une fille intelligente. »

Cosimo sentit son cœur s'alléger un peu. Il se pencha en avant. « Il y a aussi le fait que je suis son patron. »

« Et, donc ? Combien de temps reste-t-il à filmer ? »

« Encore six semaines. »

« Ce n'est rien. Si tu veux être avec elle, mais que tu as peur des poursuites, attends six semaines pour voir si vous ressentez toujours la même chose, tous les deux. Tu mérites l'amour, mon vieil ami. »

« Vieux, c'est bien le mot le plus important. »

« C'est des conneries ça. Tu es encore jeune. »

Après le départ de Sifrido, Cosimo se coucha, mais resta éveillé en pensant à Biba. Il ferma les yeux et s'imagina remonter lentement sa main sur son corps, recouvrir sa poitrine pleine, caresser la courbe douce de son ventre. Il imagina prendre son clitoris dans sa bouche, le taquiner et le lécher tendrement, jusqu'à ce qu'elle soit à bout de souffle et tellement humide qu'il glisserait sa grosse bite en elle avec facilité — sans douleur pour elle et avec un plaisir inouï pour tous les deux.

Cosimo gémit et sortit du lit, se dirigeant vers la salle de bain où il se masturba lentement, en pensant à elle. Il explosa en tremblant et en gémissant, son orgasme l'emportant complètement. « Biba », murmura-t-il en appuyant son front brûlant contre le carrelage froid. Oui, il était dans la merde.

Quand il alla se coucher, il rêva d'elle, mais ce n'était pas un rêve agréable plein d'amour, mais un cauchemar à propos de quelqu'un qui la traquait la blessait, l'éloignant de lui.

À quatre heures du matin, Cosimo se réveilla, tremblant et transpirant. Il se leva et se versa un scotch et le but cul sec.

Il ne pouvait pas se résoudre à se rendormir cette nuit-là, ne voulant plus avoir d'images de la femme dont il était amoureux, saignant et mourant dans ses bras.

9

CHAPITRE NEUF

Les cauchemars se dissipèrent le lendemain matin grâce au sourire joyeux de Biba au sortir de la caravane. « Salut mec. C'est le grand jour, aujourd'hui ? »

Un instant, Cosimo fut confus. « Pardon ? »

Biba fit semblant de lui taper sur la tête. « Ton fils, tu te souviens ? »

Dieu, Nicco, bien sûr. Il lui sourit. « Je suis heureux te voir aussi excitée, Biba, mais je dois te garantir que Nicco ne le sera pas. »

« S'il détestait vraiment cette idée, il ne serait pas venu »

« Il a encore le temps d'annuler. »

Biba lui sourit chaudement. « Vraiment ? Alors ce beau grand garçon là-bas n'est pas ton fils, alors ? »

Cosimo se retourna surpris de voir Nicco, plus grand que jamais, se tenir devant lui. Il s'avança pour embrasser son fils, qui ne recula pas, bien au contraire, à la surprise de Cosimo. Il fit un pas en arrière, pour observer son fils.

Nicco avait toujours plus ressemblé à Grace qu'à Cosimo : il avait la coloration coréenne de Grace, ses cheveux noirs et raides coiffés en pics, et ses yeux marron foncé presque noirs. Seule sa taille semblait lui venir de Cosimo.

Cosimo se retourna pour présenter son fils à Biba, qui lui tendit le poing pour checker. Les yeux de Nicco s'illuminèrent lorsqu'il la vit et Cosimo cacha un sourire. Tel père, tel fils, les deux étaient complètement incapables de résister aux charmes de Biba May.

Cosimo conduisit Nicco, Biba et Reggie en ville et au café Java Jive de sur South Tacoma Way. Biba s'assit devant lui ; Nicco lui ouvrit la porte de façon chevaleresque. C'était apparemment, le maximum de ce qu'il allait faire. Biba et Reggie tentèrent tous deux d'entamer une conversation avec l'adolescent et, même s'il restait poli, il mit rapidement un terme à la discussion.

Cosimo lança un regard à Biba alors qu'elle essayait à nouveau et elle lui fit un clin d'œil. Elle n'allait pas abandonner Nicco et cela réchauffait le cœur de Cosimo.

Devant le café, qui avait la forme d'une cafetière géante, Biba sortit de la voiture avant de revenir, toute penaude. « Désolée, c'est ma faute, le café est fermé. Je ne sais pas à quelle heure ils ont l'intention d'ouvrir. Excusez-moi, monsieur ? »

Cosimo la regarda marcher vers un homme en train de laver les vitres extérieures et converser avec lui quelques minutes. Ayant de nouveau fait jouer son charme, elle revint vers eux. « Il dit qu'il ne peut faire que du café filtré mais il nous fait la faveur de nous laisser entrer et rester. »

Alors que Reggie et Nicco sortaient de la voiture, Cosimo lui prit le bras. « Tu es incroyable », murmura-t-il, et elle lui sourit.

« J'ai utilisé ton nom, sans vergogne. Ça a marché. »

Cosimo éclata de rire et lâcha son bras à contrecœur. Il voulait lui tenir la main, mais ce serait inapproprié, surtout devant Nicco.

Alors qu'ils étaient assis dans le café, à bavarder, Nicco sembla se détendre un petit peu, il avait cependant l'air de beaucoup s'ennuyer. Biba lui donna un coup de coude. « Allez mec. Cet endroit est génial. »

Nicco acquiesça à contrecœur. « Mouais. »

« Tu es vraiment difficile à satisfaire, dis-moi. » Biba lui sourit pour adoucir sa phrase. « Vraiment un adolescent typique. »

Cela réussit à le faire sortir de son mutisme. « Tu rigoles, tu es à peine plus jeune que moi. »

« J'ai cinq ans de plus. Et tu sais ce que j'ai fait quand j'avais seize ans ? J'ai appris l'art de la conversation. » Elle lui une fit une grimace. Nicco gloussa.

Le rire de son fils fit mal au cœur de Cosimo. Il ne l'avait pas entendu depuis des années. « Alors, » dit-il prudemment, ne voulant pas casser l'ambiance, « où, nos guides touristiques ont-ils prévu la prochaine visite ? »

« Et bien », dit Biba, « nous avons supposé que toi et tes potes devez avoir tout ce qu'il faut à Seattle, alors, Reg et moi avons cherché des endroits où aller. Fall City, pour commencer. Pour monter dans une cabane en haut d'un arbre, mec. »

Nicco acquiesça. « Grand-mère m'a emmené là-bas l'année dernière. »

Le visage de Biba se figea « Vraiment ? Je suis déçue, j'attendais ça avec impatience. »

Cosimo sourit devant son visage boudeur. « Je suis sûr que Nicco acceptera d'y retourner. »

« Pas de soucis. Je pourrais y aller une autre fois. Euh... Reg ? » Biba regarda son ami, impuissante. Elle avait clairement misé gros sur la cabane dans les arbres. Cosimo se dit qu'il voudrait l'y emmener un jour.

« C'est un peu loin, mais nous pourrions aller à l'Observatoire de Goldendale. »

Nicco haussa les épaules.

« L'espace ce n'est pas ton truc ? D'accord. Reggie regardait son téléphone. « Nous pourrions prendre l'hydravion jusqu'à Friday Harbor ? »

« Déjà fait. »

Cosimo lança un regard d'avertissement à son fils qui l'ignora.

« Vous inquiétez pas », déclara Nicco. « On peut simplement traîner dans un centre commercial ou quelque chose du genre. »

« Excitant », dit sèchement Cosimo, et Nicco rougit. Il se glissa hors de sa chaise.

« Je dois aller aux toilettes. »

Cosimo soupira et regarda Biba et Reggie, une expression navrée sur le visage. « Je suis désolé. Je vous ai dit qu'il était difficile à divertir. »

« J'ai un plan de secours », déclara Biba, et les deux hommes la regardèrent. Elle sourit. « Tu as confiance en moi, n'est-ce pas ? » C'était une question destinée à Cosimo, qui acquiesça.

« Bien-sûr. Pourquoi ? »

Elle lui fit son plus joli sourire. « Parce que je suis sur le point de dire quelque chose qui pourrait paraître choquant à ton fils de 16 ans… mais fais-moi confiance. Je pense que cela pourrait briser la glace. »

Cosimo regarda Reggie qui acquiesça. « D'accord. C'est toi qui as toutes les cartes en mains. »

Pourtant, quand Biba dit à Nicco, qui revenait des toilettes : « Bien, Nic, nous allons dans un endroit qui célèbre les travaux de bouches talentueuses», Cosimo s'étouffa devant son café et Reggie se prit la tête entre les mains.

Nicco, cependant, se redressa. « Vraiment ? »

« Vraiment. »

Biba les conduisit cette fois-ci à Dock Street, ils sortirent tous de la voiture. Nicco avait l'air intéressé. « Je ne comprends pas. »

Biba le tira vers un bâtiment en forme de C de l'autre cote de la rue. « Viens. » Cosimo pensa que c'était là où ils se dirigeaient, mais Biba s'arrêta à mi-chemin.

« Et voilà ! Nicco DeLuca, je te présente : la célébration des travaux de bouches talentueuses. » Elle indiqua le mur devant eux et Nicco se mit à rire.

« Oh, très intelligent. »

C'était un mur avec des vitrines individuelles de sculptures en verre soufflé qui étaient spectaculaires. Cosimo était à la fois soulagé et reconnaissant que Nicco ait éclaté de rire. Il vit son fils se détendre.

« Tu es une grande malade ! » dit Nicco à Biba. Elle lui donna un petit coup dans l'épaule.

« Cela t'apprendra à faire l'adolescent avec nous. Allez, viens, tu peux réellement te promener en dessous de certaines de ces magnifiques constructions. »

Tous les quatre se promenèrent le long du pont, sous le plafond de verre. Cosimo et Reggie regardaient Biba et Nicco s'amuser ensemble.

« Elle est incroyable », déclara Cosimo, en essayant de ne pas laisser transparaitre son adoration de sa voix. Reggie acquiesça.

« Elle l'est. Écoute, je sais que vous êtes devenus amis. Peut-être que tu pourrais m'aider. »

« Bien-sûr. »

« C'est l'anniversaire de Biba dans une semaine. Je n'ai aucune idée de ce qu'il faut faire. Ce serait bien de faire une fête, mais Biba n'aime pas tellement ça. Peut-être pourrions-nous faire quelque chose au manoir, sur le lac. Des feux d'artifice, peut-être ?

Cosimo hocha la tête. « Ça me semble parfait. Je vais y penser et préparer cela. » Il s'aperçut qu'il parlait au meilleur ami de Biba et il eut la sensation qu'il avait peut-être dépassé les bornes et s'arrêta. « Je veux dire, si tu es d'accord, Reg. Après tout, Biba est ta meilleure amie. »

Reggie sourit. « Ne t'inquiète pas, je sais ce que tu voulais dire et je voulais ton aide. C'est pour ça que je te l'ai demandé. Tu penses que Stella serait d'accord ?

« Je me fiche de savoir si elle l'est ou pas », déclara Cosimo, « c'est l'anniversaire de Biba. » Dit-il, secouant la tête avec incrédulité en voyant Nicco et Biba se disputer, « regarde ce qu'elle fait pour moi. »

PLUS TARD, alors que Reggie et Nicco essayaient de souffler le verre, Cosimo prit Biba à part. « Je ne sais même pas comment te remercier pour aujourd'hui. Bouches talentueuses ? »

Biba éclata de rire, le visage rayonnant. « Et j'avais un autre plan au cas où celui-ci ne marchait pas non plus... l'Afterglow Vista à Friday Harbor, et aussi le Mima Mounds à Olympia. »

Cosima rigolait. « D'accord, je vois. »

« Le château Junk à... » Biba fut coupée dans son élan par les lèvres de Cosimo, il l'embrassa avec un tel désir qu'elle fut prise de vertige. Ses doigts glissèrent dans ses cheveux alors qu'il la prenait dans ses bras. Heureusement qu'ils étaient derrière une pile de verre, loin des autres.

Biba fut la première à s'éloigner. « Je suis désolée. »

« Ne t'excuse pas, c'est moi qui t'ai embrassé le premier. Il appuya son front contre le sien. « Mon Dieu, Biba, je sais ce que j'ai dit, mais j'ai tellement envie de toi. »

« Moi aussi », murmura-t-elle. Elle hésita puis glissa sa main vers le devant de son pantalon, pour le sentir. Le sexe de Cosimo répondit aussitôt, s'épaississant et palpitant contre son jean alors qu'elle le caressait. « Cosimo... Je veux que ce soit toi. J'ai tellement envie de toi que ça fait mal... »

Il l'embrassa à nouveau, la sentant trembler dans ses bras. « Essayons de faire que ça marche, j'en ai tellement envie, qu'en penses-tu ? »

« Ça me tue de ne pas essayer », admit-elle, la voix basse et sourde. « Chaque fois que je suis près de toi, j'ai envie de te toucher et de sentir tes mains sur mon corps... et de te sentir en moi. J'ai peur, oui, mais j'ai tellement envie de toi. »

Ils s'embrassèrent encore, puis entendirent des voix s'approcher. Ils se séparèrent, mais partagèrent un long regard. Tous deux se détendirent, sachant maintenant qu'ils seraient ensemble — que c'était inévitable.

Nicco s'était vraiment détendu maintenant, et alors qu'ils allaient chercher de la nourriture au Southern Kitchen sur Sixth Avenue, il parla même de ce qu'il avait prévu pour son avenir.

« La fac », dit Cosimo fermement, et Nicco sourit.

« Ne t'inquiète pas, papa. C'est sur ma liste. »

« Pour étudier quoi ? » dit Biba en fourrant du poulet frit et de la sauce dans sa bouche.

Nicco sourit. « La bathymétrie. »

« Ah, » dit Biba, « tu aimes l'océan ? »

Nicco eut l'air surpris. « Tu sais ce qu'est la bathymétrie ? »

Biba sourit. « Juste parce que je passe mon temps sur Wikipédia, à cliquer sur tout ce que je vois. Je suis obsédée par les volcans. »

Cosimo sembla surpris et Reggie eut un petit rire. « Oui, elle aime faire ça. De façon totalement aléatoire. Elle est aussi passionnée par l'espace.

"C'est vrai. Alors, tu veux travailler pour... ? » Demanda-t-elle à Nicco.

« Pour la NOAA. Et je veux étudier les volcans sous-marins. » Il se mit à rire, amusé d'avoir trouvé quelqu'un qui partageait ses centres d'intérêt, parmi les amis de son père. Il jeta un regard admiratif à son père et Cosimo sut qu'il avait gagné des points importants grâce à la présence de Biba dans son équipe. Cela lui donnait une raison supplémentaire de lui être reconnaissant.

« Tu as déjà été sur le Mont Rainier ? » Biba avait fini ses frites et volait à présent celles qui se trouvaient dans l'assiette de Nicco.

Nicco secoua la tête. « Non, jamais. »

« Peut-être que toi et ton père pourriez y faire un tour demain ? Avant de retourner à Seattle ? »

Bien joué Biba. Il lui serra la jambe par-dessous la table et hocha la tête en direction de Nicco. « Ça te dit. »

« Ouais, ce serait cool. »

Cosimo ne savait pas s'il fallait rire ou pleurer. Son fils pensait que traîner avec lui était cool ? Il sentit sa gorge se serrer sous l'émotion. Biba lui jeta un coup d'œil, sentant son corps se tendre à côté d'elle. Glissant sa main sous la table, elle entrelaça ses doigts avec les siens et les pressa.

C'est à ce moment-là que Cosimo DeLuca tomba amoureux de Biba May.

10

CHAPITRE DIX

Biba s'était endormi dans la voiture sur le chemin du retour au Manoir Lakewood et, quand ils arrivèrent sur les lieux, Cosimo sentit qu'il ne pouvait pas lui proposer de l'aider à regagner sa chambre. Nicco était là, et il se devait de penser à son fils d'abord. En outre, elle était plus que capable de se débrouiller seule pour regagner sa chambre. Elle serra Nicco dans ses bras. « Passe une bonne journée demain avec ton père, d'accord ? »

« Oui... et merci pour la sortie d'aujourd'hui. »

Elle serra Cosimo dans ses bras un peu plus fort. « Profites de demain. Il y a du progrès, », murmura-t-elle à son oreille, et tandis que les autres se détournaient, elle embrassa rapidement le cou de Cosimo. « Bonne nuit tout le monde. Allez, Reginald, tu as l'air plus épuisé que moi. »

Elle tira Reggie dans le couloir et Cosimo laissa Nicco entrer dans la suite. "Tu peux prendre le lit. Je dormirai sur le canapé-lit. »

Nicco hésita. « Papa, as-tu... dans ce lit ?

« Ai-je quoi ? » Il fallut une minute à Cosimo pour comprendre de quoi son fils parlait. « Mec, *nan*. C'est bon tu peux y aller? »

« Eh bien, je ne sais pas ce qu'il se passe, moi, sur les plateaux de tournage. J'entends des choses. » Nicco ricana devant le regard offusqué de son père.

« Tu ne t'imagines même pas à quel point la vie sur les plateaux est ennuyeuse. » Cosimo prit un oreiller dans son lit et une couverture dans le placard.

« Peut-être qu'un de ces jours je pourrais descendre, voir comment les choses se passent réellement. »

Cosimo essaya de ne pas trop s'enthousiasmer à propos de ce que Nicco avait dit. « Pas de problème, mon pote, tu sais que je serais toujours heureux de te voir. »

« Cool, papa. Bonne nuit »

QUAND NICCO FUT COUCHÉ, Cosimo se mit en sous-vêtements et éteignit la lumière. Il vit son téléphone clignoter pour lui signifier la réception d'un message. Couché sur le canapé-lit, il attrapa son téléphone et fit défiler l'écran jusqu'au message de Biba.

Progrès, progrès, progrès !! Je pense que nous avons réussi à briser la barrière de l'adolescence ! B

Cosimo rit doucement. *Merci à toi, ma belle Biba. Je ne pourrais jamais te remercier assez. C*

Quelques instants s'écoulèrent avant qu'elle ne réponde, et quand il lut le message, son cœur se mit à battre la chamade.

Montre-moi à quel point ? Demain soir ? Montre-moi.

Et c'était tout ce qu'elle avait besoin de dire.

11

CHAPITRE ONZE

Biba était tellement excitée qu'elle remuait dans tous les sens. Reggie dut intervenir pour la calmer. « Pourquoi es-tu si agitée ? »

Biba sentit son visage rougir. *Parce que ce soir, je vais faire l'amour pour la première fois avec l'homme de mes rêves.* « C'est rien, c'est juste un excès d'énergie. Ça s'est bien passé hier, n'est-ce pas ? »

« Oui, je pense aussi. Nicco est un bon gamin. Il ne ressemble absolument pas à Cosimo, tu ne trouves pas ? »

Biba y réfléchit. « Ça ne saute pas aux yeux. Mais dès que la glace est brisée, il s'amuse vraiment beaucoup. Exactement comme son père. »

Reggie l'étudia, ses yeux bruns scrutant son visage. « Tu es amoureuse. »

« De qui, de Nicco ? »

« Non, idiote, de Cosimo. Tu penses vraiment que je n'ai pas remarqué ce qui se passe entre vous ? «

Biba ne dit rien, mais elle pouvait sentir son visage brûler. Reggie la poussa du coude, baissant la voix. "Vas-y, Chérie. Il ressent clairement la même chose que toi. »

Elle espérait vraiment que c'est ce qui allait se passer ce soir... Mon Dieu, elle devait en parler à quelqu'un. « Viens avec moi. »

Ils se dirigèrent vers le lac et s'assirent sur la jetée où Biba et Cosimo avaient presque fait l'amour. Elle parla à Reggie de ce qui s'était passé cette nuit-là. Après l'avoir écoutée, il lui dit. « Je savais que quelque chose n'allait pas. Mais est-ce que tu as réussi malgré tout à aller jusqu'au bout ? »

Elle secoua la tête. « Non, mon cerveau a pris le dessus. Et quand j'ai dit à Cosimo pourquoi, il a vraiment été compréhensif... »

« C'est génial. Il a fait exactement ce qu'il fallait. »

« Sauf que... »

« Sauf que quoi ? »

Biba rougit de nouveau — à ce rythme-là, elle serait écarlate toute la journée. « Ce soir... »

Reggie avait l'air surpris. « Tu es prête ? »

Biba hocha la tête. « Je suis nerveuse, bien sûr, mais je crois vraiment que je peux le faire. J'en ai vraiment envie, tu sais. Et je fais confiance à Cosimo, Reggie. Tu sais à quel point c'est important pour moi. »

« Oui, chérie. » Reggie la serra dans ses bras. « Je suis vraiment heureux pour toi, Beebs. C'est extraordinaire que tu en sois arrivée-là. »

« C'est vrai. »

Ils observèrent le lac en silence pendant quelques minutes, puis Reggie lui caressa la nuque. « Beebs ? As-tu vu ta mère et ton père depuis que nous sommes à Tacoma ? »

Elle secoua la tête. « Non. »

« La base est à moins d'un kilomètre. »

« Je sais. » Elle se tourna pour le regarder. « Je ne ressens rien pour eux, Reg. Pas d'amour, ni de haine, rien du tout. Ils ont perdu tout intérêt pour moi, ils ne m'ont pas cru. » Biba détourna les yeux. « Le bâtard qui m'a maltraité a par la suite été arrêté pour avoir fait la même chose à trois autres enfants. Tu le savais ? »

Reggie secoua la tête, les yeux tristes. « Non. »

« Mes parents n'ont jamais appelé pour s'excuser. Pas une fois. Ils ont dû eux aussi avoir entendu parler de l'arrestation. Je n'ai vraiment pas besoin d'en savoir plus Reggie. Il n'y a pas grand-chose d'autre à rajouter. »

« D'accord. » Reggie lui embrassa tendrement la joue. « Je t'aime Biba. »

« Je t'aime aussi. » Elle prit une inspiration profonde. « Mais Dieu, que je suis nerveuse ! »

« C'est parce que Cosimo est important pour toi », dit Reggie avec ferveur. « Mais tout va bien se passer, tu verras. Ne t'inquiète pas, calme-toi. » Il lui sourit. "Tu as des préservatifs ?"

Biba fit la grimace. "Seigneur... non"

"Détends-toi. Ceci est un plateau de tournage. Le maquillage en a un tiroir plein. »

Biba grimaça. « Voici une information que j'aurais préféré ne pas connaitre ! »

Reggie se leva. « Allons-y. Connaissant Stella, elle te cherche. Je m'occupe de te trouver des préservatifs. Passe une bonne nuit. »

STELLA ÉTAIT de très mauvaise humeur malgré le fait que c'était un jour de repos. « Regarde-moi tout ce courrier », gémit-elle, jetant une pile sur la table. « Je pensais que tu t'en occupais. »

« Je fais de mon mieux, Stel. »

« Tu aurais pu t'en occuper hier. »

Biba serra les dents. « Je ne travaille pas le samedi, tu le sais. »

Stella, alluma une cigarette, retira un poil imaginaire du revers de sa manche et soupira. « Peut-être que je devrais engager une assistante qui n'a pas besoin de jours de congé. »

« Je te souhaite bon courage pour trouver ce genre de personne. Pourquoi tu te comportes comme une garce aujourd'hui ? » Comme si Biba n'était pas au courant. Stella avait dû la voir revenir la veille, de sa journée avec Cosimo et Nicco.

Stella ne répondit pas à sa question. Elle fit un signe de tête vers le courrier. « Dépêche-toi, je n'ai pas toute la journée. »

En fait, si. Mais Biba ne dit rien, triant rapidement le courrier en trois piles : admirateurs, travail, courrier indésirable. Stella ramassa la dernière pile et la jeta à la poubelle. Biba les récupéra avec un regard noir et les jeta dans le bac de recyclage. Leur relation entière était basée sur les micros batailles quotidiennes.

Stella commença à étudier la pile travail. « De la merde. De la merde, plus de merde. La société Weinstein — non merci. » Elle jeta celle-là à la poubelle avec emphase.

Voilà au moins une chose sur laquelle elles étaient d'accord. Biba hocha la tête. Elle parcourut le courrier des fans, éliminant tout ce qui nécessitait une réponse ou un autographe. La dernière enveloppe qu'elle choisit était lourde. Elle la secoua et devina qu'il ne s'agissait que de photos ni de notes. Elle l'ouvrit et en vida le contenu ? Que des photos, pas de mot. Elle en prit quelques-unes dans ses mains et remarqua qu'elles étaient collantes. *Aah dégueulasse. Faites que ce ne soit pas dur sperme, faites que ce ne soit pas du sperme...* Puis elle vit que le liquide avait une couleur rouge et une odeur sucrée. Sirop de maïs ? Ce qu'ils utilisaient en guise de faux sang sur les plateaux de cinéma. *Beurk.*

En examinant les photos, un sentiment de malaise s'empara d'elle. La plupart des photos montraient Stella sur le tournage ou au manoir. Prise depuis un téléphone, de toute évidence. Ensuite, il y avait les cinq autres photos. Cosimo, Rich, Reggie, Gunter et elle-même. Les photos sur lesquelles il y avait le faux sang. Ils étaient menacés.

« Qu'est-ce que c'est ? » Stella tendit la main, mais Biba la repoussa.

« Ne touche pas. Nous devons envoyer ça au FBI. »

Elle leva les yeux et vit la peur dans les yeux de Stella. « Est-ce lui ? »

« Je pense. Donc moins nous les toucherons, mieux ce sera. »

"Faut-il appeler Cosimo ?"

Biba secoua la tête. "Je vais en parler à Rich et à Gunter. Ils sauront quoi faire. Cosimo fait de la randonnée au mont Rainier avec son fils aujourd'hui. »

Stella se rassit, les mains crispées et tendues. « Est-ce qu'il me menace ? »

« Pas toi. Je crois qu'il pense qu'il est amoureux de vous. Ce message est vraiment pour le reste d'entre nous — nous nous mettons en travers du chemin et nous sommes... » Elle passa un couteau imaginaire sur sa gorge, Stella pâlit.

"C'est vraiment sérieux, non ? S'il menace de tuer mes amis... »

Biba ne voulut pas montrer à quel point elle était touchée par cette déclaration — surtout parce qu'elle n'était pas sûre que Stella pensait vraiment ce qu'elle venait de dire. « Tout va bien se passer, Stella, je te le promets. Je sais faire du kung-fu. »

« Vraiment ? »

« Non », Biba sourit à l'actrice, essayant de la faire rire. « Mais j'ai pas peur et je sais me défendre. » Elle se leva pour trouver un sac en plastique dans lequel mettre l'enveloppe.

Stella ne souriait pas. « Si quelqu'un était blessé à cause de moi... »

Biba s'assit en face d'elle. « Tout d'abord, dans le cas improbable ou quelqu'un serait blessé, ce serait à cause de *lui*, le fou - pas de toi. Ce n'est pas ta responsabilité. »

« Oui, mais tu l'es. »

Biba dut alors détourner le regard parce que les larmes lui montaient aux yeux. Ses fichus parents ne lui avaient jamais dit ça c'est la diva en chef, Stella qui le lui disait ? Le monde marchait-il sur la tête ? « Ne t'inquiètes pas pour ça, Stella, vraiment. Nous allons régler cette affaire une bonne fois pour toute. »

Elle alla chercher Rich et Gunter et ils appelèrent Lars et Channing, les assistants de Cosimo, qui furent d'accord avec Biba. Personne d'autre ne devait toucher la lettre, et ils feraient appel au FBI le lendemain pour venir la chercher. Rich et Gunter avaient prévu de renforcer la sécurité. « Tu ferais mieux de dire à Reggie de faire attention aussi, » dit Rich à Biba alors qu'ils retournaient dans les caravanes. « Il est dans le collimateur... »

« Oui, je vais le prévenir. »

Biba alla trouver son meilleur ami et le rencontra dans le hall du manoir. « Tiens », dit-il, en lui fourrant ses préservatifs dans ses poches. Le visage de Biba tourna immédiatement au pourpre.

« Je te remercie. Écoute, Reg, viens t'asseoir avec moi. J'ai quelque chose à te dire. »

12

CHAPITRE DOUZE

Nicco se tenait à la jonction entre deux sentiers. “C’est par où ?”

Cosimo, qui se tenait derrière son fils, fit un signe de tête en direction du sentier Emmons Moraine. “Si nous allons dans cette direction, nous verrons le glacier Emmons. Le plus grand de la région. »

« Cool. »

Cosimo était satisfait de cette réaction de la part de son fils. Il avait appris, durant l’heure pendant laquelle ils avaient marché le long de la rivière blanche, que Nicco était simplement un garçon taciturne. Cependant, lorsque Cosimo lui posait des questions sur un sujet qui l’intéressait, son fils se montrait érudit, compétent et passionné.

Alors qu’ils marchaient lentement, il regarda son fils. « Donc, je suppose que la réalisation de films et la bathymétrie n’ont pas beaucoup de choses en commun que nous pourrions discuter. »

Nicco haussa les épaules. « Je ne sais pas... les documentaires sont cool. »

« Quel est celui que tu préfères ? »

« Werner Herzog ou les Maysles. Tu as déjà vu *Grizzly Man* ?

Cosimo hocha la tête. « Celui-là m'a tenu éveillé des nuits entières. »

« C'était vraiment passionnant, n'est-ce pas ? La partie où il dit à la mère de ne jamais laisser quiconque entendre les cris de Timothy Treadwell ? C'était incroyable ». Nicco secoua la tête. « Mais j'ai beaucoup d'admiration pour l'optimisme de Treadwell. Son amour pour les ours l'a emporté sur son sens du risque. Ça ne s'est pas bien terminé, bien sûr, mais il avait le mérite d'être sincère. »

« Nic... tu n'as vraiment que seize ans ? » Cosimo secoua la tête en souriant et Nicco éclata de rire.

« Je suppose que je suis juste passionné par ce que j'aime... comme mon père. »

Cosimo lui sourit. « Peut-être qu'un jour, nous pourrions faire un documentaire ensemble. »

Nicco acquiesça. « J'aimerais ça. »

Ils marchèrent un peu plus loin jusqu'à atteindre le glacier. « Waouh. » Dit Nicco complètement conquis.

« C'est vraiment incroyable. » Cosimo contempla la vue, et les deux hommes en profitèrent ensemble, en silence pendant quelques minutes.

« Tu veux rentrer en passant par le Grand Bassin ? »

« Ce serait super. »

Ils redescendirent et empruntèrent le sentier principal. « Alors », dit Nicco, et Cosimo détecta une note de curiosité dans son ton. « Biba... »

« Oui ? »

Nicco sourit à son père. « Tu l'aimes bien. »

« Pas toi ? »

« Mec, tu l'as vue ? Bien sûr que je l'aime bien, mais pas de cette façon. Elle est tellement cool. Je veux dire, tu l'aimes bien... *bien*.

Cosimo ne savait pas où la conversation allait les mener, alors il ne répondit pas. Nicco lui donna un coup d'épaule. « Papa, sérieusement... tu devrais y aller. Ça se voit tellement qu'il y a quelque chose entre vous. Reggie le pense aussi. »

« C'est aussi évident que cela ? »

« Ouais. » Nicco se pencha pour étudier une plante au bord du chemin. « En tout cas, entre toi et Biba, ça crève les yeux. »

Cosimo haussa les épaules et dit. « Tu sais qu'il y a une différence de dix-neuf ans entre nous ? »

« Et alors ? Il est où le problème ? Tu avais combien, sept ans de plus que maman ? Ce ne sont que des chiffres. Ce qui compte, c'est ce que vous ressentez. »

« Mon Dieu, mais tu es un vieil homme à l'intérieur. »

Nicco sourit. « Seulement pour certains trucs. Les blagues de pets me font toujours rire. »

"Ça fait rire tout le monde, je te rassure »

« Tu es sur ? Apparemment, cela est *immature* pour certaines personnes. »

« Rabats joie. » Cosimo rigola. « Nic... pouvons-nous parler de... ta mère ? »

Nicco s'arrêta, une expression de douleur traversant son visage. « Ce n'est pas que je veuille oublier qu'elle ait jamais existé, papa... c'est juste que je ne suis pas prêt à parler d'elle. J'ai l'impression de... de l'avoir laissée tomber. »

« Je t'assure que ce n'est pas le cas, et je continuerai à te le dire jusqu'à la fin de mes jours. Jusqu'à ce que tu me croies... » Cosimo hocha la tête. « Sache que, le jour où tu seras prêt, je serais là. »

PENDANT LE TRAJET DU RETOUR, Nicco était plus silencieux, mais lorsque Cosimo le déposa à la gare routière, Nicco le serra dans ses bras. « Merci papa. Sincèrement. »

« Je t'en prie mon fils. Je t'aime. »

« Je t'aime aussi, papa. Je t'appellerai dans quelques jours. »

« Cool. » Dit Cosimo en souriant à son fils. Nicco rit et leva les yeux au ciel.

« Bonne chance avec Biba », répliqua-t-il en montant les marches du bus, et Cosimo éclata de rire.

En regardant le bus de Nicco s'éloigner, Cosimo se sentit soudainement nerveux. Lui et Biba n'avaient pas prévu de ce qu'ils feraient ce soir... *Dieu*, son corps était en feu à la seule pensée de lui faire l'amour.

Cosimo revint lentement à Lakewood, essayant de calmer ses nerfs. Biba aurait besoin qu'il soit sûr de lui, ce soir. C'était un poids assez lourd à porter, mais il était déterminé à être près de la jeune femme et de lui apporter son soutien et sa tendresse. Il était fou d'elle... et puis merde, il était amoureux d'elle, et ce pratiquement depuis qu'il l'avait rencontrée. Il s'était créé un lien tellement fort entre eux que cela avait été inévitable.

Il gara sa voiture et se dirigea lentement vers le manoir, toutes ses pensées tournées vers Biba. Dans sa chambre, il vit une note glissée sous sa porte. Il sourit quand il vit le petit mot, écrit de la main de Biba.

Ce soir.

Dieu, oui. Il prit une douche rapide puis sortit son téléphone et l'appela. « Salut. »

« Salut toi. » Sa voix était douce. « Tu es rentré ? »

« Oui. Où es-tu ? »

« En train d'essayer d'endiguer une crise de Stella. Mais ce n'est rien de très grave, heureusement. Nicco et toi avez passé un bon moment ? »

Cosimo sourit. « Chérie, pourquoi parlons-nous au téléphone alors que nous pourrions nous voir ? As-tu mangé ? »

« Pas encore. »

« Eh bien, j'ai une suggestion. Que dirais-tu d'un rendez-vous romantique. Dînons ensemble, regardons un film. Un vrai rendez-vous. Si tu ressens la moitié de ce que je ressens, tu dois être super nerveuse. »

Biba eut un rire soulagé. « Oh que oui. » Elle hésita. « Tu veux que je vienne te rejoindre ? »

« Je pourrais venir te chercher. »

Elle rit. « Je pense que je connais le chemin. Quand... ? »

« Je ne vois plus aucune raison de différer plus longtemps, tu crois pas ? » Sa voix était bourrue d'émotion et il l'entendit reprendre son souffle.

« Non. Je serais là dans une minute. »

« J'ai hâte. »

Heureusement, pensa-t-il, le ménage avait été fait, il y avait des draps frais sur le lit et la chambre était rangée. Il alluma des bougies parfumées dans la pièce et baissa la lumière. Il avait l'impression d'être un adolescent le soir du bal.

Elle frappa à la porte, et il ouvrit, le sourire aux lèvres. Biba portait une robe à smocks bleu nuit qui embrassait audacieusement ses courbes généreuses. « Tu es belle », dit-il avant de l'entraîner dans la pièce. Il pouvait la sentir trembler, tandis qu'il glissait ses bras autour de sa taille.

Cosimo lui caressa le visage. « Comment vas-tu ? »

Biba rit doucement. « Plutôt terrifiée, en fait. » Cosimo pencha la tête pour l'embrasser. Si tendrement...

« Moi aussi. Nous pouvons prendre notre temps, bébé. Devrions-nous appeler le room service et se détendre un peu ?

Elle hocha la tête et, lui prenant la main, il la conduisit sur le canapé, avant de lui tendre un menu. Elle essaya de se concentrer sur ce qu'elle lisait, mais il pouvait voir qu'elle commençait à paniquer. « Biba, On n'est pas obligés de faire quoi que ce soit si tu ne te sens pas prête. Nous pouvons simplement nous détendre et parler. Je veux juste passer du temps avec toi. »

C'était à son tour de l'embrasser en secouant la tête. « Je le veux tellement. J'essaye juste de rester calme, mais bon sang, j'ai vraiment envie de toi », elle rit, « t'imagines pas le bordel qu'il y a dans ma tête en ce moment. »

« Je t'aime. » Cosimo se surpris lui-même, il n'avait pas prévu de le lui dire aussi soudainement, mais à présent que les choses étaient dites, il ne voulait plus rien cacher de ses sentiments « Je suis tellement amoureux de toi, Biba May. Tu m'as ramené à la vie et je veux passer chaque moment avec toi. Quoi que nous fassions. Et si jamais tu n'étais jamais prête à faire l'amour, je resterais quand même avec toi. Je veux juste être avec toi... »

Il ne put terminer sa déclaration parce que Biba se jeta dans ses bras, l'embrassant, les joues humides de larmes. « Je t'aime aussi !

Mais tellement, Cosimo. Je pense que je t'ai aimé dès le premier instant où nous nous sommes vus. Je te veux tellement, à tous points de vue. »

Elle pressa son corps contre le sien et il sentit ses seins contre sa poitrine dure, son ventre contre le sien, ses jambes enroulées autour de sa taille alors qu'il la soulevait dans ses bras. « Touche-moi, dit-elle, touche-moi, j'ai besoin de sentir tes mains sur moi partout... Cosimo... Cosimo... »

Il la porta dans la chambre et la coucha doucement sur le lit. « Biba, si à n'importe quel moment tu veux t'arrêter, tu n'as qu'un mot à dire. »

En réponse, Biba s'assit et enleva sa robe avec impatience. « Je ne veux rien arrêter », dit-elle, et Cosimo éclata de rire.

« Ok, bébé. »

Elle attrapa sa braguette, ouvrant son jean. Il l'arrêta. « Hm hm... Pour commencer, je veux me concentrer sur toi. Allonge-toi pour moi, tu es magnifique. Laisse-moi voir ce corps spectaculaire. »

Biba fit ce qu'il lui demandait, étirant son corps souple, la faible lumière des bougies faisant briller sa peau sombre comme de l'or. Cosimo secoua la tête. « Tu es parfaite. Absolument parfaite. »

Il tira son pull par-dessus sa tête, mais garda son jean tandis qu'il s'allongeait à côté d'elle. Il passa la main sur ses courbes, reposant sa main ouverte sur son ventre. « Biba... tu me rends fou. » Il pouvait sentir son ventre frémir de nervosité et de désir.

Ses grands yeux bruns semblaient encore plus grands. Il lui sourit. « Maintenant, je vais embrasser chaque centimètre de ce corps parfait, en commençant par tes lèvres rouge cerise... » Il pressa ses lèvres contre les siennes et l'embrassa longuement, sa langue caressant la sienne alors que sa main se promenait sur son ventre. Il se dirigea vers sa gorge, puis sa poitrine. Libérant un sein de son bonnet en dentelle, il prit le mamelon dans sa bouche, glissant sa langue autour et suçant profondément jusqu'à ce qu'il l'entende gémir. Sa main se glissa dans sa culotte et, alors qu'elle haletait, il commença à la caresser doucement, ses doigts faisant durcir et palpiter son clitoris.

« Cosimo... » La peur dans son murmure avait fait place au désir maintenant, et il sentit que son sexe mouillait pour lui. Il prit l'autre mamelon dans sa bouche, le rendant aussi dur que le premier et continua à la caresser, augmentant la pression jusqu'à ce qu'il l'entende haleter, pousser un petit cri et se tendre. Sa chatte était trempée, mais Cosimo prenait son temps, se déplaçant le long de son corps, embrassant son ventre, tournant autour de son nombril profond avec sa langue, la sentant se tortiller sous lui. Il glissa son index profondément dans sa chatte, le recourbant pour trouver son point G, alors que ses lèvres traînaient sur son ventre.

Il baissa doucement sa culotte et écarta ses jambes. Il leva les yeux vers elle. Elle le regardait, essoufflée. « N'aie pas peur, ma chérie. »

Cosimo embrassa la chair douce de l'intérieur de ses cuisses avec lenteur et tendresse avant de prendre son clitoris dans sa bouche. Biba était à bout de souffle et se raidissait et jouissait encore et encore, alors qu'il lui procurait du plaisir. « Mon Dieu... oui... oui... s'il te plaît, ne t'arrête pas, ne t'arrête jamais... »

Cosimo traîna ses lèvres le long de son corps pour prendre sa bouche à nouveau. « Biba... »

« Je te veux en moi », murmura-t-elle, le visage humide de sueur « S'il te plaît, Cosimo. N'attends plus. »

Cosimo sourit et enleva rapidement son jean et ses sous-vêtements. Il s'assit sur ses hanches en enroulant un préservatif sur son énorme queue palpitante. Il lui attrapa les jambes et les accrocha autour de sa taille.

Il l'avait fait tellement mouiller que glisser doucement en elle fut facile. Il en était satisfait et elle lui sourit en retour. « Nos corps vont bien ensemble », dit-elle, émerveillée de voir à quel point leurs rythmes et leurs courbes s'accordaient. Cosimo était heureux de la voir perdue dans leur ébat, sans peur ni angoisse. Elle s'accrochait à lui uniquement par désir animal.

« Je t'aime, je t'aime », dit-elle. Son dos se cambra et elle poussa un cri d'extase. Cosimo la rejoignit, alors qu'il jouissait à son tour, gémissant et criant son nom.

Ils s'effondrèrent ensemble, haletants et humides de sueur, s'embrassant. Cosimo repoussa les cheveux humides de son front. « Ça va ? »

« Plus que bien, Cosimo, plus que bien. Merci, *merci...* » Elle l'embrassa, ses lèvres sauvages contre les siennes. Cosimo la berça dans ses bras.

« Merci de m'avoir fait confiance pour faire ça avec toi. » Il caressa son corps. « Comment te sens-tu, réellement ? »

« Mon corps est un peu comme de la gelée », déclara Biba en riant, « comme si tous mes membres étaient liquéfiés... c'est une sensation agréable. »

Cosimo sourit. « C'est aussi ce que je ressens. Écoute, excuse-moi un instant. Faut que je m'occupe de... » Il inclina la tête vers son sexe encore à moitié tendu. « Ce sont un peu des tues l'amour, ces préservatifs. » Il l'embrassa et se laissa glisser hors du lit pour aller s'occuper du préservatif.

« Rien ne pourrait ruiner le romantisme de cet instant », l'entendit-il dire.

« Pardon ? » Il retourna dans la chambre et la vit lui sourire.

Biba rigola. « J'ai dit cela avant que mon estomac ne commence à gronder. »

« Alors, commandons à manger. Nous avons toute la nuit devant nous. »

Ils dînèrent de steaks grillés au feu de bois, et d'une salade verte fraîche, suivie d'une salade de fruits frais, il lui raconta sa journée avec Nicco. « Biba, nous n'aurions jamais pu aller aussi loin sans ce que tu as fait pour nous hier. Et tu devrais savoir ceci, tu n'as pas seulement séduit DeLuca Senior. Mais Nicco aussi t'adore. » Cosimo se pencha pour l'embrasser. « Il m'a donné son feu vert pour 'foncer'. »

« C'est un jeune homme très intelligent et très sage », dit Biba avec un sourire. « Je suis contente que tu aies suivi son conseil. Alors, comment tu vois les choses avec lui ? »

« Je vais dire que c'est un bon début. Il n'est pas prêt à accepter que ce n'est pas sa faute si sa mère est décédée, et qu'il n'était pas là. Mais c'est un début, une autre pierre à l'édifice de notre relation. Je pensais l'avoir perdu… jusqu'à ce que nous te rencontrions. »

Biba posa sa fourchette et alla dans ses bras, se perchant sur ses genoux. « Nous sommes bons l'un pour l'autre, Cosimo DeLuca. »

Il la regarda avec ses yeux verts magnétiques et Biba sentit son ventre frémir de désir. Il était si beau… son amant. Elle avait du mal à y croire. Cosimo DeLuca était son amant… et il l'aimait vraiment. Il n'était pas uniquement attiré sexuellement par elle, mais il avait pour elle un véritable amour adulte. Elle appuya son front contre le sien. « Cosimo ? »

« Oui mon amour ? »

Elle sourit. « Emmène-moi au lit et baise-moi toute la nuit. »

Il s'exécuta, avec le sourire.

Bientôt. Ils étaient distraits : par les photos, par leur réalisateur qui baisait Biba. *Bien*. Cela éviterait à quiconque d'être blessé quand il leur enlèverait Stella. Et il savait exactement quand le faire. Dans une semaine exactement Stella serait à lui et tous les préparatifs en vaudraient la peine.

Il piaffait d'impatience.

13

CHAPITRE TREIZE

Biba se réveilla, sentant les lèvres de Cosimo glisser le long de sa colonne vertébrale. Elle sourit et ouvrit les yeux alors qu'il atteignait ses lèvres. « Bonjour beauté. Oh, c'est pas juste, tu t'es brossé les dents.

Cosimo rigola. « Tu as un goût divin. »

Biba roula sur le dos et Cosimo lui fit aussitôt un gros poutou sur le ventre, la faisant rire. « Tu es bête. » Elle passa ses doigts dans ses boucles sombres, n'en revenant vraiment pas d'être là dans son lit, enveloppé dans ses bras. « Cos ? »

« Ouais, bébé. » Il embrassait maintenant ses seins, taquinant ses mamelons qui durcissaient sous la caresse.

« Est-ce que tout ceci est réel ? »

Cosimo leva les yeux en souriant. « Tout ceci est réel. Nous sommes réels. Je t'aime, Biba May.

« Tout comme je t'aime, Cosimo DeLuca. » Elle hésita. « Devrions-nous... garder notre relation secrète ? »

Cosimo se cala sur son coude à côté d'elle. « Je me posais la même question. Il y a des avantages et des inconvénients des deux côtés, mais je pense que nous pourrions choisir le juste milieu. Nous n'avons pas besoin d'en faire la publicité, mais nous n'avons pas besoin de le cacher non plus. Je veux pouvoir te tenir la main, que je sois en public ou en privé. »

« Stella ne va pas être contente. »

« C'est son problème. Si elle devient méchante, rappelle-toi que c'est le studio qui te paie, pas elle. Tu ne seras pas virée quoiqu'il arrive. »

« Je te remercie. C'est bizarre, mais je ne me sens pas coupable. Je suis tombée amoureuse de toi ; Stella, elle, ne vouait faire de toi qu'une conquête. »

Cosimo fit la grimace. « Oui, et si elle avait pris le temps de me connaitre, elle aurait su que cela ne m'intéressait absolument pas. Je n'ai jamais été un playboy, peu importe ce que les gens pourraient penser. Je ne dis pas non plus que je suis un saint. »

Biba lui sourit. « J'espère bien que tu n'en es pas un. Tu t'es regardé ? Quel gâchis si c'était le cas. »

Cosimo éclata de rire. « Tu es très gentille. » Il lui effleura les lèvres. « Qu'est-ce que tu veux au petit-déjeuner ? »

« Je veux du Cosimo... »

Ils firent de nouveau l'amour, profitant de toutes les sensations que leur procuraient leur corps, puis, encore sous la douche, se frôlant et glissant dans la cabine, riant tellement qu'ils finirent par se retrouver sur le sol froid et carrelé.

Biba sourit tristement tandis qu'elle s'habillait. « J'aurais dû réfléchir et apporter des sous-vêtements frais. Je vais devoir aller dans ma chambre, les fesses à l'air. »

« Biba, regarde ce que tu as fait. » Cosimo pointa du doigt son sexe qui se raidissait à cette pensée, et Biba rigola.

« Viens-là, je m'en occupe. »

Elle rentra finalement dans sa chambre pour trouver un message de Stella sur son téléphone. « Où es-tu, bon sang ? C'est lundi, Biba. Il est grand temps que tu te mettes au travail. »

Rabat-joie. Mais même Stella ne pourrait pas gâcher le bonheur de Biba. Quand Cosimo et elles descendirent main dans la main pour se diriger vers la caravane de restauration pour le petit-déjeuner, elle se fichait royalement du qu'en-dira-t-on. Mais elle ne put cependant s'empêcher de ressentir de la culpabilité lorsqu'elle vit Rich s'appesantir sur ce geste. Il lui fit un clin d'œil malicieux et sourit, et elle finit par oublier son malaise.

Pour être honnête, personne ne fit grand cas de la nouvelle relation entre Cosimo et Biba et, lorsque vint le moment de travailler, ils revinrent tous deux à leurs rôles professionnels.

Biba alla chercher Stella. « Salut, Stella. »

Elle attendit que l'actrice se déchaine, mais celle-ci décida de se maitriser. « Ça va, Stella ? »

Stella hocha la tête, puis secoua la tête. « Non, pas vraiment. »

Elle avait l'air tellement déprimée que Biba s'assit avec elle et lui prit la main. « Que se passe-t-il ? »

Stella lui tendit l'iPhone qu'elle utilisait uniquement à des fins personnelles. « Regarde. »

Biba ouvrit le texto.

Mon amour, nous serons bientôt ensemble pendant que le monde entier partira en lambeaux. Toi et moi serons en paix — je te le promets, cela ne fera pas mal, et nous serons ensemble pour l'éternité. Je t'aime. Je te veux. C'est notre avenir, notre destin. Ne lutte pas, s'il te plaît. Tu n'as aucune idée de ce dont je suis capable si quelqu'un essaye de se mettre en travers de notre chemin. À toi, pour toujours

« Bon sang. » Biba se sentit malade et Stella hocha la tête.

« Il va me tuer. C'est ce que ça veut dire ! »

Biba voulait la rassurer, mais elle savait que ce n'était pas possible. La signification du message du harceleur était claire. Elle leva les yeux et vit une larme le long de la joue de Stella. « J'ai peur, Beebs. »

Biba enroula ses bras autour l'actrice, et la serra contre elle, tandis qu'elle sanglotait de peur. Stella n'avait jamais été aussi vulnérable devant elle. *Elle doit être terrifiée*, pensa Biba. Elle appuya sa joue contre la tête blonde de Stella. « On va rappeler le FBI, Stel. Cosimo ne laissera personne te faire du mal, je le jure.

Stella renifla et s'assit. Elle fit un sourire étrange à Biba. « Tu as l'appelle Cos maintenant ? »

Biba hocha la tête. Elle soutint le regard de Stella et celle-ci hocha finalement la tête. « Je vois. »

« Je suis désolée, Stella. C'est arrivé, juste comme ça. »

Stella haussa les épaules. « Ne t'excuse pas. Tu le voulais, tu l'as eu. Tout est pour le mieux, dans le meilleur des mondes. » Elle se pinça la lèvre inférieure, perdue dans ses pensées. « Je pensais de toute façon... faire une pause - dans mes relations avec les hommes. »

« Tu devrais. Tu mérites tellement mieux que toutes ces passades. » Biba rougit de honte. Elle ne voulait pas donner l'impression d'être soulagée de savoir que Stella n'essayerait plus de séduire Cosimo.

Mais la jolie actrice acquiesça simplement. « Tu as raison. Regarde, mes yeux sont tout gonflés et tout moches, maintenant. »

« Des cuillères froides et de la crème et le tour est joué. De toute façon, tu n'as pas besoin d'être sur le plateau avant cet après-midi. »

Stella lui jeta un regard navré « Je suis désolée pour toutes les fois où je t'ai maltraitée, Biba. Comme dans le message ce matin. J'étais juste vraiment abattue. »

Biba sourit. « Ce n'est pas grave. J'ai l'habitude. »

Stella rit sans joie. « Je n'ai pas toujours été aussi garce, tu sais. Avant, j'étais gentille. » Elle soupira. « Mais ce métier, te force à voir certaines choses, à faire certaines choses pour réussir... C'est un tel soulagement d'être sur *ce* plateau de tournage, tu sais ? Travailler avec un réalisateur du talent de Cosimo, un homme d'une telle gentillesse, d'une telle...protection. Tu dois savoir de quoi je parle. »

« Effectivement. »

« Je suis encore désolée pour Damon. »

« Ce n'est pas de ta faute, Stella. Ecoute, va te détendre une petite demi-heure, puis nous nous attaquerons à ça », dit-elle en désignant l'iPhone, « ensemble. Nous allons appeler le FBI et aller au fond des choses. »

L'agent spécial Luke Harris arriva juste après le déjeuner et il rassembla Cosimo, Lars, Channing, Rich et Gunter, Stella et Biba, et Reg dans le grand salon du manoir. Reggie donna un coup de coude à Biba. « Poirot va-t-il nous dire lequel de nous est coupable ? »

Biba dut dissimuler son rire dans une toux.

Luke Harris téléchargea les photos sur l'iPhone de Stella comme preuve. « Nous les traiterons dès que possible. Nous aurons besoin de vos empreintes digitales, madame May et madame Reckless, pour pouvoir comparer. »

« Bien-sûr, oui, sans problème. »

Cosimo changea de position avec irritation. « Alors, je suppose que cela veut dire qu'il n'y a pas eu de progrès dans l'affaire. »

Luke Harris secoua la tête. « Celui qui fait ça sait ce qu'il fait. Madame Reckless, nous allons devoir fouiller dans votre vie personnelle, j'en ai bien peur. »

Stella grimaça. « Tout est sur Wikipédia. Ne vous gênez pas pour regarder. »

« J'ai bien peur que cela ne suffise pas. Et, je pense que vous devriez savoir... M. Tracy a de bons avocats. La plainte pour tentative de viol a été abandonnée. »

« Quoi ? » Cosimo était outré, alors que Biba pâlissait. « C'est quoi ce bordel ? Pourquoi n'avons-nous pas été informés plus tôt ? »

Harris secoua la tête. "Je ne sais pas, je suis désolé. Quel que soit l'endroit où Tracy s'est réfugié, il est bien caché. »

« Ce pourrait être lui. » Cosimo lança un regard inquiet vers Biba. Harris acquiesça.

« Croyez-moi, il est sur notre liste de suspects. La seule chose qui m'empêche de faire de lui le principal suspect, c'est que le mobile. S'il devait avoir un mobile, ce serait la vengeance, et non l'obsession manifeste qui transparait dans tous ces messages. De plus, il viserait plutôt Mme May que Mme Reckless. Pour la faire taire, pour ainsi dire.

« Putain » siffla Reggie, sa main sur l'épaule de Biba, tandis qu'Harris s'excusait.

« Désolé, dit-il dit à Biba, je n'ai pas voulu dire ça comme ça. Mais je maintiens mon argument. Je ne pense pas que ce soit lui, ce qui ne veut pas dire que vous ne devriez pas être vigilante. »

« Cet endroit est rapidement en train de se transformer en prison », murmura Lars à Cosimo. Le visage de Cosimo se tendit.

« Écoutez, agent Harris, nous avons besoin de mieux communiquer. Rich et Gunter dirigent maintenant une équipe solide, mais vous connaissez cet endroit. Les bois autour du lac, le manoir lui-même... une armée ne pourrait pas protéger ce lieu. Si quelqu'un devait entrer... je ne veux même pas penser à ce qui pourrait arriver. »

Un frisson glacial sembla parcourir toute la pièce. Quand Biba regarda dans les yeux de Cosimo, elle ne put y voir que de la peur.

14

CHAPITRE QUATORZE

L'agent Harris quitta les lieux sans avoir donné une quelconque assurance que les choses étaient sous contrôle. Lars, Cosimo et Channing formèrent un groupe de discussion, tandis que les autres s'éloignaient. Biba avait son bras autour d'une Stella silencieuse, alors qu'elles marchaient vers le plateau de tournage. « Ça va ? »

Stella secoua la tête, mais ne dit rien. Elle s'appuya contre Biba qui comprit qu'elle avait besoin de réconfort plus que toute autre chose. « Allez viens Stel, on va chercher du chocolat chaud et jouer aux cartes. »

Stella secoua la tête. « Merci beaucoup, Biba, mais je pense que je préférerais être seule, un moment. »

Biba la regarda regagner sa caravane. Reggie se massa la nuque. « Et dire que je pensais que ce tournage allait se dérouler dans la joie et la bonne humeur. »

Biba ne souriait pas. Il ne faisait aucun doute que cette affaire de harceleur effrayait tout le monde. Preuve en était, le comportement de Rich et de Gunter qui étaient d'habitude si amusants, semblaient désormais intimidés et abattus.

. . .

Quelques jours plus tard, Reggie vint lui parler. « Biche... J'ai de mauvaises nouvelles. »

« Ça n'arrête pas ! » Biba était fatiguée et stressée, et très inquiète pour Stella.

« Ma mère est malade. Je vais devoir aller la voir ce week-end au lieu de fêter ton anniversaire avec toi, ici. »

Biba le serra dans ses bras. « T'inquiètes pas, tu dois absolument aller voir Mary. Qu'est ce qui ne va pas ? »

« Je pense qu'elle a attrapé un virus. Elle a décidé d'aller peindre à la cabane dans les montagnes et a fini par attraper un rhume dont elle n'arrive pas à se débarrasser. »

« La pauvre ! Tu veux que je vienne avec toi ? »

Biba connaissait Mary depuis des années. Depuis que Reggie et elle étaient devenues amis. Mary était une mère de substitution pour elle. Elle était gentille, réconfortante et aimant s'amuser comme son fils. Mary avait toujours espéré que Reggie et Biba se mettraient ensemble, mais leur amitié avait évolué, sans qu'ils ne désirent que leur relation ne s'approfondisse.

Reggie lui sourit. « Non ce n'est pas la peine. Mais elle adorerait entendre le son de ta voix, quand tu auras le temps. »

Biba sortit immédiatement son téléphone de sa poche et composa le numéro "Mary chérie, tu as la grippe ? »

Elle mit le haut-parleur pour que Reggie puisse aussi l'entendre. Mary Quinn rit, sa voix enrouée et rauque. « Biba, quel plaisir d'avoir de tes nouvelles, ma chérie. Oui, j'en ai bien peur. Ce satané virus ne semble pas vouloir me laisser tranquille. Reggie insiste pour venir me voir. »

« Et il a raison de le faire. Dois-je venir aussi ? »

« Oh non, chérie. C'est ton anniversaire et je ne veux pas risquer de vous infecter tous les deux. En plus, Reggie me dit que tu as un nouvel homme dans ta vie. »

Biba sourit, son corps se détendit lorsqu'elle mentionna Cosimo. « Tu l'aimerais, Mary, vraiment, il est génial. »

« C'est un beau garçon. J'ai regardé des photos de lui sur Google quand Reggie m'a dit pour qui il travaillait... oui, un très joli garçon. Il a de ces yeux. Tu as de la chance. »

« Je ne peux qu'être d'accord », sourit Biba. « Tu es sûre que je ne peux rien faire de plus ? »

« Non, chérie, Reggie s'occupe de tout. Peut-être que l'année prochaine, nous pourrions tous fêter ton anniversaire ensemble. »

« J'aimerais vraiment ça. Prends bien soin de toi Mary. Je t'aime. »

« Je t'aime aussi, ma douce. »

Biba mit fin à l'appel et sourit à Reggie. « Si je ne l'ai pas déjà dit un million de fois, tu as énormément de chance d'avoir une mère comme elle. »

« Je pense aussi. » Reggie se mordit la lèvre. « Je ne suis pas tranquille de la savoir à la montagne. Cinnamon Lodge est un endroit idéal en été, mais à cette période de l'année, il fait très froid ; quelquefois la température descend en dessous de zéro, et si elle est déjà malade... »

« La cabane est chauffée, n'est-ce pas ? Et l'endroit est un véritable palace, elle n'a de cabane, que le nom. » Reggie et sa mère n'étaient pas vraiment pauvres. Le père de Reggie avait fait fortune dans le textile, et Reggie n'avait jamais manqué de rien. Biba savait qu'il craignait que sa mère soit seule, mais Mary Quinn était une femme très indépendante.

« Même si elle ne veut pas que j'aille la voir, je vais au moins lui envoyer un joli panier garni. Tu penses pouvoir le lui apporter pour moi ?

Reggie lui sourit. « Tu es vraiment la plus adorable. Bien sûr que oui. »

Cet après-midi-là, Biba se rendit dans une célèbre confiserie de Tacoma. Elle passa une heure agréable à choisir des chocolats faits à la main, sachant que Mary aimait les sucreries. Elle se rendit ensuite au centre commercial Tacoma pour trouver d'autres petits cadeaux pour sa « maman ».

Ce n'est qu'après avoir quitté un magasin avec une confortable couverture en laine pour Mary que Biba s'aperçut qu'elle était suivie. Tout avait commencé par une sensation étrange au creux de son estomac, alors qu'elle pensait que quelqu'un marchait trop près derrière elle. Elle se précipita dans le magasin le plus proche et se retourna pour voir si elle reconnaissait quelqu'un.

Mais il n'y avait personne. Était-elle en train de devenir folle ? Biba prit une profonde inspiration et alla à nouveau dans le centre commercial. Dix minutes plus tard, elle ressentit le même picotement dans le dos et se retourna brusquement. Elle était en train de devenir paranoïaque. Encore une fois, il n'y avait personne.

Secouant la tête, elle alla prendre un café et vit Rich Furlough à la terrasse de la boutique, un café au lait sur la table devant lui, feuilletant quelque chose sur son téléphone. Biba hésita un instant. Rich l'aurait-il suivie ?

Il leva les yeux sur elle. Si c'était de la comédie, alors, il jouait la surprise à la perfection. « Salut, beauté, je ne pensais pas te voir ici. Puis-je t'offrir un verre ? »

Biba, ne voulant pas être impolie, hocha la tête. « J'aimerais bien. Un chocolat chaud, s'il te plaît. »

Elle s'installa dans le fauteuil en face de Rich puis rit quand elle le vit revenir avec un bol fumant et débordant de crème. « Je leur ai demandé de tout mettre, et je me suis souvenu que tu aimes beaucoup le sirop à la vanille. »

Biba se détendit. Rich était la dernière personne dont elle devait se méfier. « Merci, Rich. » Elle regarda la montagne de crème. « Comment puis-je aborder cela ? »

« Je suggère de faire un rappel sur la face nord, » lui conseilla sagement son ami.

Biba rigola. « Tu es fou. » Elle prit une gorgée, enfouissant son nez dans la crème, puis lui fit un large sourire. Rich rit en secouant la tête.

« Bon sang, May, arrête d'être si adorable. »

Biba répondit maladroitement. « Pardon. »

« Une abrutie. Abrudorable. »

Ses épaules se détendirent. « Ça existe pas. »

« Si. Donc... ? »

« Donc... ? »

« Jouons cartes sur table. Toi et Cos - heureux ?

Elle acquiesça fermement. « Oui et je suis vraiment dés- »

“Ne t’avise pas de dire que tu es désolée, Beebs. Je suis *ravi* pour vous, vraiment. Vous voir ensemble, c’est naturel, ça paraît évident. »

« Malgré l’écart de nos âges ? »

« L’écart, on s’en branle ; littéralement. » Il sourit et elle ne put s’empêcher de rire.

« Et toi ? »

Rich haussa les épaules. « Comme tout le monde le dit, j’ai mon partenaire de vie en la personne de Gunter, le Gaston Lagaffe des plateaux de tournage. » Il sourit. « Si seulement j’étais comme Reggie. »

« Hein ? »

« Je veux dire, gay. Ainsi, Gun et moi pourrions vivre heureux ensemble. »

Biba sirota son chocolat chaud. « Reggie n’est pas gay, Rich. »

« Vraiment ? » Rich sembla véritablement surpris et Biba secoua la tête.

« Oui, vraiment. »

« Mince. Maintenant, je dois vingt dollars à Gun. »

Biba éclata de rire. « En fait, tu n’étais pas sur ? »

Rich sourit. « Pardon. Aucun de nous deux n’arrivait à comprendre pourquoi toi et Reggie ne vous êtes jamais mis en couple.

“Il y a des hommes qui peuvent me résister”, dit-elle en levant les yeux au ciel. “La plupart des hommes, en fait.”

“Je ne pense pas, non.”

Elle lui souffla un baiser, embarrassée par son compliment, et Rich éclata de rire. Il était vraiment le gars le plus gentil au monde. “Et Stella, Rich ? Elle est célibataire pour le moment. »

Rich leva les deux mains au ciel. « Waouh. »

« Trop femme pour toi ? »

« Trop dramatique pour moi. Je vais attendre qu'ils perfectionnent le clonage et empruntent une partie de ton ADN. »

« N'importe quoi. Tu sais que je ronfle comme un morse ? »

« Arrête. »

« Et je bave aussi dans mon sommeil. Constamment. Je ressemble à la créature des marais le matin. »

« Je ne te crois pas. »

Biba sourit « Et je pète. Beaucoup. Demande à Stella. Je suis toujours en train de lâcher de grosses caisses. »

Rich riait si fort maintenant qu'il en avait les larmes aux yeux. « Arrête ! J'ai une crampe maintenant. »

Biba se moqua de lui alors qu'il se calmait. « Bon sang, ça fait du bien de rire après cette réunion avec Columbo l'autre jour. »

« N'est-ce pas ? Cet agent du FBI est un idiot. »

Biba hocha la tête. « Tout ça me rend paranoïaque. Avant de venir ici, j'aurais pu jurer que quelqu'un me suivait. Je suis même entrée dans quelques magasins et je suis revenue sur mes pas pour voir si c'était le cas. Mais je n'ai vu personne, mais j'ai eu peur pendant un moment. »

Le sourire de Rich disparu. « Quoi ?! Pourquoi n'as-tu rien dit en arrivant ? » Il repoussa sa chaise et Biba se leva alarmée.

« Que fais-tu ? »

Il lui prit la main. « Viens. Je connais l'équipe de sécurité ici. Nous allons vérifier les caméras de sécurité du centre commercial.

15

CHAPITRE QUINZE

Cosimo les attendait quand Rich la reconduisit au manoir. Biba se jeta dans ses bras et il la sentit trembler. Rich était blanc comme un linge. Il tourna la tête vers Cosimo. « Quelqu'un a suivi Biba. Nous pensons que c'était un homme, mais il était cagoulé. »

Cosimo sentit son estomac lui monter à la gorge. Quelque chose aurait pu arriver à Biba... « Avait-il une arme ? »

Il entendit Biba, dont le visage était enfoui dans son pull, émettre un cri sourd.

« Tout va bien, bébé, tu es en sécurité », dit-il en enfouissant son visage dans ses cheveux, il inspira, profondément.

« C'est difficile à dire. Réfléchir à la situation sans parti pris n'est pas facile, mais honnêtement, il n'aurait aucun intérêt à nuire à Biba. Je pense que c'était un acte délibéré pour, soit collecter des informations soit nous faire peur. Les deux, certainement. »

Cosimo jura. « D'accord, à partir de maintenant, personne ne sort seul. Je ne veux pas diriger votre vie, mais tant que vous travaillerez pour moi, vous serez tous protégés. Si vous devez absolument sortir, faites le deux par deux, ou avec un mec de la sécurité. Cela vous inclut aussi Gun, et Rich. Je pense que ce mec est très sérieux. »

« Je suis d'accord. » Rich posa sa main sur l'épaule de Biba. « Beebs, je te le promets. Tu es en sécurité. »

Cosimo releva le menton de Biba pour qu'elle puisse voir son visage. Il a essayé de sourire. « Exactement. »

RICH LES LAISSA seuls et Cosimo ramena Biba dans sa suite. Il avait hâte de la prendre dans ses bras et de l'embrasser. « SI jamais quelqu'un te faisait du mal… Que Dieu le vienne en aide… »

« Ce n'est pas à moi, qu'il en veut, Cos. C'est la seule chose qui compte. Pauvre Stella. Je ne peux pas imaginer ce qu'elle doit ressentir en ce moment. »

« Je sais. Elle était plutôt silencieuse aujourd'hui. Je pense que Franco et Sifrido l'ont emmené dîner pour essayer de l'aider à se détendre. »

« Ils sont adorables. »

Cosimo sourit. « Ils le sont. » Il prit son visage entre ses mains. « Je suis vraiment heureux que tu ailles bien. »

« Je vais mieux maintenant que je suis près de toi. » Elle se pencha contre lui. Il la prit dans ses bras et s'assit dans le fauteuil, la prenant sur ses genoux. Biba appuya ses lèvres dans son cou. « J'ai peur pour Stella. »

« Je sais, chérie. » Il l'embrassa. « Mais ce soir, au moins, elle est à l'abri. Elle est en sécurité. Et... » Il sourit soudainement. « Demain, c'est ton anniversaire. »

« Vingt-deux ans. »

« Que tu es vieille ! »

Biba éclata de rire. « Emmène cette vieille dame au lit, mon garçon. »

Ils firent l'amour lentement, Biba était à cheval sur lui alors qu'il caressait ses seins et son ventre. Elle le chevaucha, s'empalant sur son énorme queue, soupirant d'extase chaque fois qu'elle la glissait à l'intérieur d'elle. « Mon Dieu, je ne me lasserai jamais de ça, Cosimo. Jamais. »

« Moi non plus, bébé. Tu es incroyable, et quand tu serres ta chatte autour de moi comme ça… »

Les yeux de Biba brillaient de mille feux, se délectant clairement du pouvoir qu'elle avait sur lui dans des moments comme celui-ci. « Comme ça ? »

Elle contracta les muscles de son vagin et ses cuisses et il gémit de plaisir. Biba sourit, passant ses mains sur sa poitrine et son ventre. « Tu es tellement magnifique, » murmura-t-elle, et elle se pencha pour l'embrasser, lui mordillant la lèvre inférieure.

Cosimo attrapa ses fesses dans ses mains, ses doigts s'enfonçant dans sa peau tendre. Biba le regarda. « Tu veux… ? »

Il était surpris. « Tu veux essayer le sexe anal ? »

« Avec toi, j'ai envie de tout essayer. »

« Comme quoi...? »

Biba sourit. « Tu pourrais… m'attacher. Faire de moi ce qui te plait. »

Cosimo sourit. "Toujours tu me surprendras, Biba. He ! Ça rime ! »

« Farceur...et, oui… j'aime l'idée d'être à ta merci. Peut-être que nous pourrions aller jusqu'à une légère fessée ? »

Cosimo, complètement excité par la conversation, la retourna soudainement sur le dos et commença à la pénétrer plus rapidement. « Tu me rends fou, Mlle May… »

Elle s'accrocha à lui, toute la nuit, tandis qu'ils faisaient l'amour. Puis, enveloppés dans les bras l'un de l'autre, ils dormirent jusqu'au milieu de la matinée.

Le lendemain matin, Biba ouvrit les yeux et se mit immédiatement à rire. À côté d'elle, Cosimo était étendu, nu et magnifique, vêtu uniquement, d'un chapeau en papier recouvert de paillettes et un sifflet de fête dans la bouche. Il y souffla et la langue de papier recourbée se déroula et lui effleura le nez. Biba rigola.

« T'es taré. »

Cosimo prit le sifflet de sa bouche et se pencha pour l'embrasser. « Joyeux anniversaire, Snooks. »

« Snooks ? »

« Nouveau surnom. »

Biba réfléchit. « Je prends. »

Cosimo sourit. « Alors, mademoiselle May, j'ai des projets pour vous aujourd'hui, mais seulement si vous êtes intéressée. »

« Dis-moi tout. »

« Nous allons commencer par un petit-déjeuner au lit, avec tes plats favoris. Ensuite, tu pourras prendre un long bain dans la baignoire, avec moi bien sûr. L'équipe et les acteurs ont organisé un déjeuner spécial pour toi.

« C'est adorable, et j'adore le fait que la journée tourne autour de la nourriture. »

Et du sexe. N'oublie surtout pas le sexe. »

« Comment pourrais-je ? » Rigola-t-elle alors qu'il l'enveloppait de ses bras et embrassait son cou. « Après le déjeuner ? »

« Après le déjeuner, nous pourrons passer un peu plus de temps seuls. J'ai prévu une petite croisière à Gig Harbor... sur un gondolier. Si je ne peux pas t'emmener à Venise – pas encore - alors Je t'amène Venise. »

Biba lui fit son plus joli sourire, excitée par la perspective de la journée. « C'est tellement romantique, bébé. Mon Dieu, que c'est beau. »

Cosimo sourit, visiblement ravi. « Ensuite, un dîner romantique pour deux en ville, et ensuite, le clou de la soirée, une petite surprise sur le lac. »

« Et tu as organisé tout cela juste pour moi », dit Biba, émue. Cet homme l'aimait vraiment.

Cosimo couvrit son corps avec le sien, lui souriant. « Je dois admettre que Reggie m'a aidé. Je suis désolé, il ne sera pas là pour le célébrer avec nous. »

« Moi aussi, je suis déçue... Je suis sûr qu'il aimerait être avec nous, mais sa mère compte beaucoup pour nous deux. »

« Snooks ? »

« Oui ? »

« Ne me parla pas de la mère de Reggie quand j'essaye de te monter. »

Biba éclata de rire, puis soupira de bonheur alors que Cosimo enfonçait sa queue au fond d'elle. Ils firent l'amour lentement, tendrement, jusqu'à ce que tous jouissent, le corps secoué et frémissant après un orgasme intense.

Cosimo ne mentait pas, quand il lui avait promis tous ses plats favoris. Muesli, œufs brouillés, crêpes, pain perdu et fruits frais. Biba prit une bonne portion de tout, pour le plus grand plaisir de Cosimo.

« Je me fiche de ce que tu penses, j'ai besoin d'énergie », dit Biba en avalant la moitie d'une crêpe d'un coup. « Parce que tu es insatiable. Tu veux toujours me faire l'amour... »

Elle rigola alors que Cosimo essayait de la chatouiller. « Ne mange pas trop... Je ne veux pas que tu vomisses quand on fait l'amour. »

« Ha ha ha ». Elle posa le reste de sa crêpe et grimpa sur ses genoux. « Cosimo, merci mille fois. Merci pour ce magnifique anniversaire. »

« Ça n'a même pas encore commencé », dit-il avec un sourire. Il l'embrassa avec une telle passion qu'ils oublièrent tout de la nourriture et se laissèrent tomber sur le tapis en riant et en s'embrassant jusqu'à en perdre le souffle.

STELLA EFFAÇA l'e-mail et se rassit, énervée. Elle venait encore de se faire souffler un rôle par Jennifer Lawrence, et cela la rendait furieuse. Elle avait dix ans de plus que JLaw, mais le personnage pour lequel elles avaient auditionné était une trentenaire, comme Stella.

Le pire c'était que toutes les deux partagent le même agent. Ce qui signifie que Dan Flint favorisait très clairement Jennifer au détriment de Stella. Probablement parce qu'ils paieraient plus pour Jen et que du coup, son pourcentage serait plus grand. Stella était assez âgée et intelligente pour savoir que c'était logique, mais elle regrettait qu'il ne lui montre pas plus de loyauté. Elle avait pourtant fait de lui un multimillionnaire et, surtout, un acteur influent d'Hollywood.

Stella alluma une autre cigarette. Cela allait lui couper l'appétit, elle commençait à se demander si la famine constante et l'entraînement draconien qu'elle s'imposait en valaient la peine pour les rôles qu'elle convoitait. À part pour celui-ci. Ce film devait être celui qui relancerait sa carrière. Elle était peut-être la plus grande star de cinéma de la planète, mais lorsqu'on était au sommet, il n'y avait pas d'autre choix que de redescendre.

Elle se frotta le visage. Bon sang, elle n'avait que trente-six ans, mais elle avait la sensation d'en avoir dix de plus. Peut-être était-ce dû au fait qu'elle passait autant de temps avec quelqu'un d'aussi jeune que Biba. Stella n'avait pas vraiment d'ami et sa propre mère l'avait abandonné. Reckless mère avait publié l'histoire de sa fille cinq ans auparavant, dans les tabloïdes les plus dégoutants. Cela avait presque torpillé la carrière de Stella, à cause de ses révélations sur la grossesse et l'avortement de sa fille à l'adolescence. Et même si elle ne voulait pas l'admettre, Biba était la personne la plus proche d'elle. Voilà pourquoi, il avait toujours été trop facile pour Stella de reporter sa colère sur Biba.

Ce que Stella craignait le plus était de se rapprocher de quelqu'un, puis de le perdre. Ces sentiments lui venaient de la mort prématurée de son père chéri, alors qu'elle n'avait que huit ans, dans un accident de voiture. La petite fille qui était aussi dans la voiture au moment de l'accident avait été marquée pour toujours par les hurlements de son père mourant dans les flammes. Ces souvenirs la hantaient encore aujourd'hui. Ainsi, chaque fois qu'elle se sentait infléchir son caractère envers son assistante de longue date, elle se reprenait, et redoublait de sècheresse et de méchanceté avec Biba.

Et alors qu'elle sortait de sa caravane pour rentrer au manoir, elle vit Biba et Cosimo main dans la main. Ils étaient si manifestement amoureux l'un de l'autre, que Stella ressentit à nouveau l'hideuse morsure de la jalousie. Elle l'avait déjà connu lorsqu'elle avait réalisé que Cosimo et Biba tombaient dans les bras l'un de l'autre. Ça faisait mal. Elle détestait l'admettre, mais elle souffrait énormément que Cosimo ait préféré Biba.

Et puis il y avait la beauté indomptable et sauvage de Biba. Stella aurait aimé avoir la fraîcheur naturelle de Biba, qui n'avait pas besoin de maquillage, uniquement parée de la vitalité d'un esprit jeune. Stella aurait souhaité ne pas se soucier autant de son apparence. Elle se savait belle, mais dans le style de la reine de glace, froide et distante, tandis que Biba irradiait la jeunesse, la chaleur, la sensualité.

Elle ignora Biba et Cosimo alors qu'ils se dirigeaient vers les autres membres de la distribution et de l'équipe. Franco embrassa la joue de Biba et Sifrido la fit tournoyer dans ses bras. Bon sang, il n'y en avait vraiment que pour elle. La lèvre de Stella se recroquevilla.

Quand Biba s'approcha d'elle, Stella tourna les yeux vers elle. « Heureuse d'être le centre d'attention ? »

Elle étouffa la culpabilité qu'elle ressentit en voyant le visage de Biba se défaire légèrement. Mais Biba releva résolument la tête. « Bonjour à toi aussi. Je venais voir si tu voulais te joindre à Cos, moi et à quelques autres membres de l'équipe pour le déjeuner.

« Non merci. »

Biba la fixa et ses yeux devinrent froids. « Bien. » Elle s'éloigna et Stella soupira. Quelle idiote ! C'était l'anniversaire de Biba, bon sang ! C'était normal que tout le monde soit aux petits soins pour elle. Me voilà devenue le type même du vieux cliché de la star de cinéma imbuvable. Elle se retourna pour rappeler Biba, et lui souhaiter un bon anniversaire, mais elle était déjà loin, son bras autour de la taille de Cosimo.

Merde. Je suis désolée, Biba. Mais je ne peux pas te montrer à quel point tu comptes pour moi. Ou, je perdrai tout pouvoir sur notre relation.

Stella attrapa une tasse de café noir et alla travailler.

16

CHAPITRE SEIZE

Ils filmèrent jusqu'à l'heure du déjeuner. Rich et Gunter avaient installé un barbecue. Biba adorait ça. Elle se sentait un peu dépassée par toute l'attention et ne savait pas trop comment traiter l'affection que les gens lui témoignaient.

Elle s'isola quelques minutes pour appeler et décompresser.

« Joyeux anniversaire Biba. »

Biba se détendit. « Salut Reg. Comment va ta mère ? »

« Elle va bien, elle renifle et se plaint beaucoup trop. »

« Je t'entends d'ici, tu sais », fit une voix à l'arrière-plan, et Biba et Reggie se mirent à rire.

« Maman te souhaite un joyeux anniversaire et te remercie pour le panier garni. Beaucoup trop de sucre, Beebs, essayes-tu de rendre ma mère diabétique ? Il y a quinze paquets de gâteaux. »

Biba sourit. « Ce sont ceux qu'elle préfère. »

« Bien vu. Est-ce qu'on s'occupe bien de toi aujourd'hui ? »

« Tout est parfait Reg... Cos m'a dit que tu en avais organisé la majeure partie, alors je te remercie. »

« Non, c'était un travail d'équipe. Profite en bien ma douce. »

Biba eut un petit rire, mais Reggie dû sentir que quelque chose n'allait pas dans son ton. « Qu'est-ce qu'il y a, chérie ?

Biba, sentit une boule se former dans sa gorge. « Je veux juste... c'est comme avoir de nouveau une famille. »

La voix de Reggie s'adoucit. « Nous t'aimons, idiote. *Bien sûr* que nous sommes ta famille. Écoute, j'ai un cadeau pour toi, mais je ne pense pas être de retour avant demain. Je reviendrais certainement mardi »

« Ne t'inquiète pas pour ça. Tu me manques, mais ta mère a besoin de toi. Dis-lui que je l'aime, d'accord ? »

« Ce sera fait. Joyeux anniversaire, chérie. »

Cosimo avait une autre surprise pour elle… ils firent le voyage jusqu'à Gig Harbor en hélicoptère. Alors qu'ils survolaient Ruston et Shore Acres, Biba embrassa Cosimo. « Tu es le meilleur cadeau dont une femme puisse rêver. »

Cosimo sourit. « Si tu peux encore dire cela pour nos noces de Crystal, dans cinquante ans, quand j'aurais quatre-vingt-dix ans, et que tu seras toujours dynamique et active. Alors, je te croirais. À moins que tu ne décides d'ici là de m'échanger contre un modèle plus jeune. »

« *Bien sûr,* » Biba essaya de paraître aussi sérieux que possible. « Je pense honnêtement que tu surestimes le temps qu'il me faudra pour prendre un jeune amant. »

Cosimo sourit. « Oh vraiment ? Bon sang, je comptais au moins cinquante ans. »

Ils rirent tous les deux et Cosimo entrelaça ses doigts aux siens. « Tu me rends tellement heureux, Biba May. »

« Tout pareil, beau gosse. »

Cosimo lui fit son sourire le plus sensuel avant de faire un signe de tête vers l'extérieur. « Nous y sommes. »

Ils trouvèrent tous deux que la mini-croisière en gondolier était incroyablement romantique, mais c'est lors d'un dîner dans l'un des restaurants les plus chics de la ville que Cosimo put pleinement exprimer son amour pour sa ville natale, Venise.

« C'est un endroit incroyable où grandir. Nous avions l'habitude d'y emmener Nicco chaque été. Grace et moi avions comme règle d'alterner les moments où chacun de nous travaillait. Mais pendant au moins un mois en été, nous allions tous ensemble à Venise. Plus Nicco grandissait, moins cela l'intéressait, il préférait passer les étés avec ses amis. Nous avons donc fini par ne plus y aller du tout.

« Ta mère vivait là-bas aussi ? »

« Seulement quand j'étais jeune. »

Biba lui jeta un regard inquisiteur. « Tu ne parles jamais de ton père. »

Cosimo sirota son vin et haussa les épaules. « Parce que je ne l'ai jamais connu. Maman est tombée enceinte d'un homme marié — elle ne savait pas qu'il était marié, et a décidé de m'élever seule. Nous avons même vécu dans une communauté dirigée par des femmes pendant un certain temps en France avant de venir ici. »

« Et elle est américaine ? »

Cosimo hocha la tête. « Une vraie fille de Washington. »

« J'ai hâte de la rencontrer. »

Cosimo embrassa sa main. « Elle va t'adorer, Biba. »

De retour à Lakewood, Biba s'aperçut que la petite plage voisine du lac était éclairée par des torches et cela la fit frissonner. « Qu'est-ce que vous avez encore concocté ? »

Cosimo éclata de rire. « Attends et regarde. »

Leurs amis et collègues s'étaient amassés sur la petite plage et les accueillirent avec de grands sourires. Elle vit Rich faire un signe de tête à Cosimo.

« Maintenant ? »

« Oui, vas-y, » acquiesça Cosimo, et il prit la main de Biba en lui souriant. « Joyeux anniversaire bébé. »

Biba sursauta en entendant les premières détonations alors que des feux d'artifice commençaient à traverser le ciel nocturne et à exploser sous un nuage de couleurs. Elle rit et secoua la tête. « Tu as fait tout ça pour moi ? »

Cosimo l'embrassa tendrement. « Tu es tellement aimé, Biba, pas seulement par moi. Mais aussi par Reggie, Rich, et les autres... même Stella t'aime. »

« Ha. »

« Je suis sérieux. Elle ne veut pas que cela se sache. » Il chercha la foule des yeux, pour voir si elle percevait la blonde et belle actrice, mais elle était introuvable. « Rich, Stella fait encore la Diva ? »

Rich passa son bras autour des épaules de Biba. « Stella a boudé tout l'après-midi, cachée dans sa caravane. Tu veux que je la trouve ? »

Biba secoua la tête, mais Cosimo haussa les épaules. « Oui, va la chercher. Dis-lui de cesser d'être une méchante fille et de sortir pour profiter de la soirée. »

Rich rit sous cape. « C'est toi le boss. »

Biba soupira. « Cos, cette journée a été magique, totalement magique. Merci mon amour. »

Le téléphone portable de Cosimo sonna et il sourit en voyant qui appelait. « Je pense que c'est pour toi, Chérie. » Il lui tendit son téléphone et Biba dit : « Allo, oui ? »

« Joyeux anniversaire ! » Nicco lui chanta les paroles de la chanson, au téléphone et Biba éclata de rire.

« Nicco, merci beaucoup d'avoir appelé. Ton père m'a gâté toute la journée. »

« Il avait prévu de le faire… comment était la croisière en gondole ? »

Biba éclata de rire. « Incroyable. Mais toi tu connais la version originale, n'est-ce pas ? »

« Ça fait un bail. Peut-être pourrions-nous tous aller à Venise en été… oh, hé, grand-mère veut te dire bonjour. »

Le cœur de Biba battit un peu plus vite lorsqu'une voix douce dit bonjour. « Bonjour, madame DeLuca. Je suis très heureuse de vous rencontrer ou plutôt, de vous parler. »

Olivia DeLuca rit. « Appelez-moi Olivia et j'ai entendu tant de bonnes choses à votre sujet. Bon anniversaire très chère. »

« Merci beaucoup. » Les nerfs de Biba se dissipèrent rapidement alors qu'elle bavardait avec la mère de Cosimo pendant quelques minutes, puis Nicco reprit le téléphone.

« Oui, comme je disais, peut-être que nous pourrions tous aller à

Venise en été. C'est un endroit sympa, je peux te montrer plein de choses. »

« Ça me semble très tentant, Nicco. Veux-tu parler à ton père ? »

« Oui, s'il te plaît. Je te souhaite encore un joyeux anniversaire Beebs, à bientôt. »

En lui rendant le téléphone, Biba avait l'impression que tout son être vibrait de joie. Elle avait le sentiment d'enfin avoir une famille : le fils et la mère de Cosimo l'acceptaient si facilement. Elle sentit les larmes lui monter aux yeux et, lorsque Cosimo mit fin à son appel, il passa son doigt sur sa pommette pour capturer la larme qu'elle avait laissé échapper.

« Ce sont des larmes de joie, dit-elle, je te le promets. Je n'arrive pas à croire, la chance que j'ai, Cos. Je t'aime tellement. »

Cosimo la prit dans ses bras. "Tu as changé mon monde, Biba, avant toi, je vivais dans les ténèbres, tu m'as apporté la lumière. Je t'aime. »

Biba ne s'imaginait pas à cet instant-là, que le bonheur pourrait de nouveau la quitter, mais malheureusement, elle était sur le point de découvrir que les choses pouvaient se dégrader à la vitesse de l'éclair.

17

CHAPITRE DIX-SEPT

Alors qu'ils marchaient main dans la main vers le manoir, Biba regarda les caravanes. Elle pouvait voir une faible lumière venant de la plus grande. Elle se doutait que Stella devait bouder dans sa caravane. Elle donna un coup de coude à Cosimo. « Je vais faire la paix avec Stella », dit-elle. « Je n'aime pas être en froid avec elle. »

Cosimo soupira. « Bébé, Stella a besoin de grandir et de réaliser que tout ne tourne pas autour d'elle. »

« Je sais, mais cela ne m'empêche pas de me sentir mal. »

Cosimo s'arrêta. « Tu veux que je vienne ? »

Biba l'embrassa. « Je pense que ta présence risque malheureusement d'aggraver les choses. Je savais qu'elle ne voyait pas notre relation d'un bon œil. Inutile de jeter de l'huile sur le feu. »

« Elle devra s'y habituer. » Cosimo appuya son front contre le sien. « Je t'aime. »

Biba sourit. « Je t'aime aussi, Cosimo DeLuca. Merci pour ce parfait anniversaire. »

« Ne tarde pas trop. »

« Promis. »

. . .

La pluie commençait maintenant à battre et Biba se dirigea rapidement vers les caravanes et se fraya un chemin à travers le labyrinthe jusqu'à celle de Stella. Alors qu'elle s'apprêtait à ouvrir la porte, elle faillit tomber sur une silhouette allongée sur le sol. 'He !!'

Dans la pénombre, elle discerna la silhouette de Rich. « Mec, tu dois être complètement saoul pour t'être effondré ici ! »

Il était couché sur le ventre et n'avait même pas gémi quand elle l'avait bousculé du pied. « Rich ? »

Elle réussit à le faire rouler sur le dos et retint son souffle. Le devant de son t-shirt était couvert de sang. Biba recula. « Oh mon Dieu... à l'aide! Au secours! Rich? Rich, ouvre les yeux, mec, réveille-toi. »

Puis elle entendit Stella crier et elle vit avec horreur, une silhouette noire en train de lutter contre une Stella nue qui hurlait et essayait de se défendre contre son assaillant qui tentait de l'entraîner hors de sa caravane.

« Non ! », Cria Biba en repoussant vigoureusement la silhouette qui essayait de s'emparer de sa patronne. La pluie avait rendu le terrain particulièrement glissant et l'attaquant trébucha alors que Biba lui martelait le dos. Stella était figée, complètement immobilisée dans l'horreur.

« Stella ! Cours ! »Cria-t-elle alors que l'attaquant la jetait à terre et attrapait Stella. Biba n'allait pas laisser son amie se faire prendre. Elle tenta d'assommer l'attaquant. Elle entendit des cris venant de la direction du manoir. « Stella, cours ! Cosimo arrive... »

L'assaillant la saisit alors soudain à la gorge d'une main et la jeta contre la caravane. Il lui donna deux coups de poing dans l'estomac. Sous les coups puissants et rapides, Biba s'écroula, le souffle coupé.

Elle inspira profondément, regardant avec désespoir l'attaquant empoigner une Stella qui essayait de ramper pour s'échapper, et il l'entraîna avec lui. Quand Biba essaya de se lever et de les suivre, ses jambes se dérobèrent sous elle. Elle pouvait entendre Cosimo crier son nom.

« Je suis là », essaya-t-elle de dire, mais sa voix n'arrivait pas à sortir de sa gorge, prise de vertige, elle s'effondra. La douleur causée par les coups ne se dissipait pas. En fait, elle s'aggravait. Biba réussit à se relever et à faire un pas en avant au moment où les lumières s'allumaient, et Cosimo arrivait en courant les lieux. Biba vit l'horreur dans ses yeux et elle désigna Rich. « Aide-le. »

Mais Cosimo courait vers elle en hurlant son nom et Biba baissa les yeux. Elle comprit enfin pourquoi Cosimo la regardait avec tant d'horreur. Le manche noir d'un couteau dépassait de son ventre, sa robe blanche avait viré au rouge et au rose. Elle leva les yeux vers Cosimo alors que ses jambes s'engourdissaient sous elle, et il la rattrapa alors qu'elle tombait.

« Il m'a poignardé ? » Demanda-t-elle, incrédule, et elle secoua la tête. « Il a pris Stella, Cos. Il a pris Stella. »

La douleur s'intensifiait et des points noirs dansaient dans ses yeux. *Je meurs. Nous n'avons pas eu assez de temps, pas assez.*

« Je t'aime, » dit-elle en effleurant le visage de Cosimo, puis tout devint silence.

18

CHAPITRE DIX-HUIT

Deux ans auparavant, Cosimo DeLuca était assis au chevet de son épouse mourante et lui tenait la main tandis qu'elle s'éteignait doucement, venant grossir les rangs des victimes du cancer. Il avait alors pensé que c'était le pire jour de sa vie.

Mais ce n'était rien par rapport à la terreur qu'il ressentait maintenant. Couvert du sang de la jeune femme de vingt-deux ans, qui était devenue sa raison de vivre. Il attendait dans la salle d'attente, prostré, dans une stupeur sombre. Biba et Rich avaient été précipités aux urgences. Le FBI et la police étaient partout à Lakewood et à l'hôpital ; et les journalistes attendaient à l'extérieur les dernières nouvelles.

Rich était en mauvais état, il avait subi de multiples blessures par arme blanche à la poitrine. Gunter était inconsolable. Mais tout ce à quoi Cosimo pouvait penser était Biba : son visage pâle, le sang coulant de ses blessures. Il l'avait couchée sur le sol humide et avait appuyé fort sur les plaies ouvertes de son ventre, essayant ne pas la laisser perdre trop de sang. Et les secours avaient dû littéralement du l'arracher de la jeune femme, pour pouvoir lui apporter le secours dont elle avait besoin.

Biba, son amour. Sa belle et fraiche Biba, si animée et enjouée, si jamais elle devait mourir, il ne lui survivrait pas.

La police avait pris les informations nécessaires pour prévenir les proches de Rich. Cosimo se demandait si les parents de Biba seraient intéressés de savoir ce qu'il arrivait à leur fille. Il dit à la police que Reggie devait être ce qui se rapprochait le plus de la famille pour Biba. À l'exception, de Cosimo lui-même.

Cosimo appela sa mère pour lui dire ce qui s'était passé. « Maman, je dois parler à Nicco : je ne veux pas qu'il entende ce qui s'est passé aux infos. »

« Papa ? »

Cosimo a failli perdre toute sa détermination, lorsqu'il entendit la voix de son fils. « Nicco... Biba est blessée. Il y a eu un incident — Stella a été enlevée et Rich et Biba ont été blessés en essayant de l'arrêter. »

Il y eut un silence glacé, puis Nicco prit la parole, la voix était sourde. « Est-ce qu'elle va bien ? »

« Non, mon fils, elle ne va pas bien. Elle a été poignardée. Ils sont en train de l'opérer. »

« Je vais prendre l'avion. »

Cosimo paniqua. « Non. Non. Tu ne devrais pas être ici, c'est... trop.

"Papa." La voix tremblante de Nicco brisa le cœur de Cosimo.

"Je promets, je te jure, que si les choses empirent... Je t'appellerai tout de suite. Je te le promets sur ma vie, Nicco. »

Il y eut une autre longue pause. « D'accord. Dis-lui de se battre, papa. Elle peut le faire. C'est une battante, je le sais. »

« Merci mon pote. Elle se battra... c'est comme ça qu'elle est notre Biba. »

"Je t'aime papa."

Cosimo faillit de nouveau éclater en sanglots. "Je t'aime aussi, Nic. S'il te plaît, prie pour elle. »

Il s'éloigna pour sangloter en privé, puis retourna dans la salle d'attente pour s'affaisser sur le canapé. Lars mit son bras autour des épaules de Cosimo. « Tu dois garder espoir, Cos. Ne lâche rien. »

Une heure plus tard, le chirurgien, la mine défaite, vint leur dire que Rich était mort.

BIBA SE RÉVEILLA en hurlant et essaya de s'asseoir, seulement pour être repoussé par des mains fermes. « Ma belle, vous ne pouvez pas vous asseoir. Respirez profondément... c'est ça... concentrez-vous sur mon visage. » Le visage d'un homme, recouvert d'un masque chirurgical, se profila dans sa vision. « C'est bon, Biba, vous êtes en sécurité. Vous allez bien. Vous êtes dans la salle de réveil du centre médical Sacred Heart.

Une autre main douce caressait son front. Un autre visage, une infirmière, lui sourit. « Vous avez été incroyable, Biba. Nous sommes là pour vous surveiller... vous avez perdu beaucoup de sang. »

« ... poignardée. » Elle croassa sous un masque à oxygène et la femme acquiesça.

« Je sais, ma petite, je suis désolée. »

« Stella ? »

Biba, les vit se regarder. « Nous ne savons rien à part vous, Biba. Nous savons que votre partenaire attend des nouvelles. Je vais lui parler de votre opération. »

« Je veux le voir. »

« Dès que vous serez plus stable, chérie. »

Biba hocha la tête, tellement incapable de se concentrer. Elle se demandait pourquoi elle ne ressentait aucune douleur, puis elle se dit qu'ils avaient dû lui donner de la morphine. Mais elle était en vie.

Qu'en était-il de Stella ? Et de Rich ? Comment ce jour qui s'était déroulé comme dans un rêve, avait-il fini dans le plus horrible des cauchemars ?

Biba ferma les yeux, se sentant impuissante. Qu'est-ce qui n'allait pas chez les gens ?

Elle s'endormit d'un sommeil agité, puis elle sombra dans un sommeil profond et reposant, se réveillant plus tard avec les rayons du soleil qui lui éblouissait les yeux, tandis qu'une main familière tenait les siennes.

« Snooks ? »

Le son de sa voix lui fit le plus grand bien. Et son nouveau surnom la fit sourire. « Cos... »

« Dieu merci, tu vas bien, bébé. » Tu vas bien. Ses yeux verts étaient pleins de douleur.

Elle tendit la main et caressa sa joue. « Oui mon amour, je vais bien. Et Stella ? »

Cosimo sembla se débattre un instant. « Il l'a emmenée. Le FBI et la police ont organisé une chasse à l'homme. »

« Mon Dieu. » Biba essaya à nouveau de se rasseoir et Cosimo l'aida à se mettre en position. Biba toucha le lourd pansement sur son abdomen. « Est-ce que c'est grave ? »

« Cela aurait pu être bien pire. Aucun organe majeur n'a été touché, mais ton artère a été endommagée. Ils l'ont opérée et semblent confiants que tu vas récupérer rapidement, mais tu auras besoin de plus de transfusions de sang. »

Cosimo lui raconta tout cela, comme s'il récitait ce que les médecins lui avaient dit, pour l'encourager. Biba hocha la tête.

"Honnêtement, je ne me sens pas si mal. C'est juste un peu douloureux. »

Cosimo mit un bouton dans sa main. « Appuie sur ceci pour la morphine. » Il laissa échapper un soupir tremblant. « Bon sang, Biba, quand je t'ai vue couverte de sang, avec le manche de ce couteau qui sortait de ton ventre... j'ai cru t'avoir perdu. »

« Je suis toujours là. » Biba tendit la main pour lui relever le menton et plonger ses yeux dans les siens. « Comment va Rich ? »

Elle vit le chagrin dans ses yeux et elle gémit « Oh, non... » quand Cosimo lui confirma que Rich n'avait pas survécu, elle sanglota. « Pas Rich... Mon Dieu, Cos... » Elle se mit à pleurer et il la prit dans ses bras.

Tandis que ses sanglots ralentissaient, un médecin entra pour la voir. Biba pouvait voir la femme qui l'étudiait à la recherche de signes de douleur ou de détresse. Elle s'essuya les yeux. « Je vais bien, Doc... je viens d'apprendre que l'un de mes amis est décédé. »

« M. Furlough ? Je sais. Toutes mes condoléances. Comment vous sentez-vous ce matin ? »

Biba hocha la tête. « Pas si mal... plus fatiguée qu'autre chose, je suppose. »

Le médecin la fit s'allonger pendant qu'elle défaisait les pansements de Biba et examinait ses blessures. Biba put enfin voir les incisions déchiquetées et les points de suture sur son ventre ; Cosimo détourna la tête, il avait l'air dégoûté et en colère. Le médecin examina ses blessures. « Nous avons réussi à réparer les dégâts facilement, il n'y avait pas de dommages aux organes, ce qui était la principale préoccupation. Il n'y a aucun signe d'infection, ce qui est bien. La fatigue que vous ressentez est due à la perte de sang et au traumatisme. Vous étiez un peu anémiée, le saviez-vous ? »

Biba secoua la tête. « Je n'en avais aucune idée. »

« Eh bien, nous allons vous garder quelques jours, puis vous pourrez rentrer à la maison pour récupérer. »

Biba était surprise. « Si vite ? »

« Vous avez eu beaucoup de chance. Je repasserai un peu plus tard. »

Biba et Cosimo la remercièrent, puis Cosimo retourna s'asseoir à ses côtés. "Tu viendras vivre avec moi, dans la suite de mon hôtel pendant que tu récupères. De toute évidence, la production a été arrêtée sur le film, on ne peut pas filmer sans Stella. »

« Mon Dieu, j'espère qu'elle va bien. »

Cosimo secoua la tête. « Je prie juste que nous la trouvions avant que ce psychopathe fasse quelque chose de stupide. »

STELLA N'ALLAIT PAS BIEN du tout. Son ravisseur s'en était pris à elle pour « l'avoir forcé à blesser ces gens, forcé à tuer cette fille », alors qu'il l'emmenait dans la nuit et qu'elle essayait de se protéger de son effroyable courroux. Il lui avait cependant jeté une couverture pour qu'elle puisse se couvrir et elle s'était étroitement enveloppée dedans. C'était suffisant pour recouvrir son corps nu, mais pas assez pour la protéger du froid mordant.

« Où m'emmenez-vous ? » Il ne répondit pas. Il portait une cagoule noire et, bizarrement, elle avait remarqué ses yeux d'un bleu éclatant, *trop bleus*. Il devait porter des lentilles de contact. Sa voix était aussi déguisée. Il se cachait.

Stella sentit son estomac se retourner. Quand elle l'avait vu poignarder Biba si impitoyablement, elle avait vu son assistante — son amie — s'effondrer, trempée de sang, Stella s'était figée, incrédule à ce qu'elle voyait. *Oh, Biba, je suis désolée, je suis tellement désolée.* Stella se demandait si elle était morte.

Elle se souvenait à peine d'avoir été emmenée dans sa camionnette. À présent, les mains attachées dans le dos, elle était allongée sur le sol métallique glacé d'une camionnette qu'il conduisait. Elle avait l'impression qu'ils allaient dans les hauteurs et avec le froid, elle devinait qu'ils conduisaient sur une montagne. Peut-être au lac Rainier ou vers le Parc national olympique. Elle avait perdu le fil du temps. Peut-être étaient-ils sur la route depuis des heures. Peut-être même l'avait-il emmenée au Canada.

« S'il vous plaît, » dit-elle doucement. « S'il vous plaît, dites-moi ce que vous voulez. »

Rien. Le silence. Elle essaya encore de le faire parler. « J'ai très froid... monsieur. Pourriez-vous éventuellement augmenter le chauffage ? »

Encore une fois, pas de réponse, mais elle le vit actionner le bouton du chauffage

. « Merci. » Bien, cela fit poindre un sentiment d'espoir dans son esprit. Peut-être, y avait-il encore un peu d'humanité en cet homme. Elle se tut alors, essayant de chercher une solution à ce problème. Devrait-elle lui donner ce qu'il voulait ? Son amour ? Son corps ? Stella était une adulte. S'il fallait lui offrir ces choses pour préserver sa vie, elle le ferait. Où devrait-elle essayer d'exercer son pouvoir en faisant appel à la diva en elle ? Cela pouvait tout aussi bien se retourner contre elle et le décider à la tuer plus vite ?

Qu'est-ce que vous voulez ? Dites-le-moi...

Une heure plus tard, la fourgonnette s'arrêta brusquement et l'homme en sortit, et se dirigea vers l'arrière du véhicule. Il ouvrit brusquement les portes et l'attrapa, l'enveloppant d'un épais manteau et la soulevant facilement. Elle avait eu raison : ils étaient dans les montagnes. La neige tourbillonnait autour d'eux, ce qui rendait difficile le repérage des lieux. Elle réalisa bientôt, qu'il la conduisait dans une sorte de cabane en bois La lumière était chaude et Stella se sentit légèrement soulagée.

Mais une fois à l'intérieur, quand elle vit à quel genre de monstre elle avait vraiment affaire, elle perdit la tête, tout espoir envolé et Stella Reckless se mirent à hurler.

19

CHAPITRE DIX-NEUF

Reggie, essoufflé et tremblant, entra dans la chambre d'hôpital de Biba, faisant sursauter Cosimo, et elle sursauter. Il la regarda, les yeux éperdus « Oh, merci mon Dieu... merci mon Dieu... »

Il se jeta sur elle et Biba la serra fort dans ses bras, grimaçant légèrement sous la force de son étreinte. Pendant quelques minutes, elle le rassura. Lui disant qu'elle allait bien. Elle allait mieux. Cosimo les laissa seuls, souriant à son amoureuse avant de quitter la pièce.

Reggie finit par s'asseoir sur la chaise que Cosimo venait de quitter. « Mon Dieu, Biba... Je suis désolé, tellement désolé de ne pas être venu plus tôt. L'état de maman a empiré et quand Cosimo a appelé... le trafic sur la I-5 était mortel. »

« Ne t'inquiète donc pas tant, je vais bien », déclara Biba. Elle indiqua un sac de sang suspendu au-dessus d'elle. « Je viens juste de me connecter à du sang super frais. » Elle sourit à Reggie, avant de dire d'un ton sombre. « Rich est mort, Reg. »

Il acquiesça. « Je sais. Mon Dieu, je suis désolé... qu'en est-il de Stella ? »

« Rien. Celui qui l'a prise avait parfaitement planifié son coup. Du moins c'est ce que pense le FBI. »

Reggie soupira en secouant la tête. « Encore l'agent Harris ? »

« Oui. »

« Seigneur… Pourquoi ne pas laisser quelqu'un d'intelligent s'occuper de l'affaire ? La vie de Stella est en danger. »

Les yeux de Biba se remplirent de larmes et Reggie lui serra la main. « Je suis désolé, ma douce, je ne voulais pas te vexer. Je veux juste dire… mon Dieu, je ne sais pas. »

« Cosimo a engagé des détectives privés pour les chercher. Ils se posent de nombreuses questions. »

Reggie eut l'air impressionné. « Tel que ? »

« Comment diable le ravisseur est-il entré par les portes ? Comment a-t-il su que Stella était seule dans sa caravane alors que nous étions tous au bord du lac ? » Biba soupira, se frottant le visage avec les doigts, suffisamment fort pour laisser des traces rouges. « Reg… qui ferait ça ? D'abord tuer Rich, et ensuite enlever Stella ? »

« Un psychopathe, Beebs. C'est la seule réponse que je puisse te donner. » Il hocha la tête pour regarder son corps. « Est-ce que ça fait mal ? »

« C'est douloureux, mais supportable. » Biba regarda par la fenêtre. « Gunter est totalement détruit, Reg. Il est venu me voir hier… il est brisé. » Sa voix trembla.

Reggie secoua la tête, les yeux remplis de sympathie. « Je suis tellement désolé… Rich était un mec bien. »

« Ca, c'est sûr. »

Ils restèrent assis en silence pendant un moment. « Comment va ta mère ? »

« Les médecins pensent à présent qu'il pourrait s'agir d'une pneumonie. Elle est très malade. »

Biba gémit. « Mon Dieu. Reg, tu dois retourner auprès d'elle. Moi, je vais bien, sérieusement. Si tout se passe bien, je sortirai d'ici deux jours et Cosimo s'occupe si bien de moi. Marie a besoin de toi. »

Il la regarda avec tristesse. « Tu en es sûre ? »

« Absolument. Retourne la voir, Reggie. Tu peux m'appeler quand tu veux. »

Il se leva et la serra dans ses bras. « Je t'aime. »

« Je t'aime aussi » lui dit-elle en souriant. « Peux-tu donner un message de ma part à ta maman ? Dis-lui que les vignes rouges sont bonnes pour la pneumonie. »

Reggie leva les yeux au ciel et rigola. « Je lui dirai… elle n'aura pas besoin de beaucoup de persuasion. À plus tard, Chérie. Je suis heureux que tu te sentes mieux. »

« A plus tard, Reggie. »

EN BAS, Cosimo parlait avec certaines des infirmières. « Il est coutume de demander au parent de faire un don de sang », lui disait l'une d'elles.

« Bien sûr. Il se trouve que justement, j'en ai plein, si vous pouviez me diriger dans la bonne direction. »

« Moi aussi je veux en donner. »

Cosimo se retourna pour voir sa mère, Olivia, et Nicco se diriger vers lui. « Mais... qu'est-ce que vous faites là tous les deux ? »

« Tu pensais vraiment que nous n'allions pas venir vous soutenir Biba et toi ? Mais je ne connais pas mon groupe sanguin. »

Cosimo étreignit son fils et sa mère. « Ta mère et moi étions tous les deux O négatifs, donc tu l'es aussi. »

« Très bien », dit l'infirmière, « le donneur de sang universel. Nous allons vérifier cela. On fait toujours un test avant un premier don. Viens avec moi. »

En marchant, Nicco se mit à bombarder Cosimo de questions. « Est-ce que Biba va bien ? Ont-ils trouvé Stella ? »

« Oui et non », déclara Cosimo alors qu'ils se dirigeaient vers la salle de collecte de sang. « Le FBI a organisé une chasse à l'homme, mais il n'y a pas de nouvelles, pour l'instant. Biba se porte bien, mieux que prévu. Elle sera ravie de vous voir tous les deux. »

ILS REMPLIRENT les documents préliminaires et tous les trois décidèrent de faire un don de sang. Alors qu'ils attendaient, Cosimo tenta de se détendre. Les dernières vingt-quatre heures avaient été tellement fortes en émotions qu'il avait la sensation d'avoir à peine respiré.

L'infirmière entra, l'air perplexe. « Nous allons devoir refaire ton groupe sanguin, jeune homme », dit-elle, « nous pensons avoir fait une mauvaise lecture ».

Nicco haussa les épaules. « Bien sûr pas de problème. »

Vingt minutes plus tard, le médecin revint les voir. Le visage sérieux. « Puis-je juste vérifier quelques détails ? »

« Bien sûr. »

Il interrogea Cosimo sur la naissance de Nicco et les circonstances qui l'entouraient. Cosimo et Nicco échangèrent des regards confus. Olivia se décida alors à intervenir.

« Docteur, que se passe-t-il exactement. Quel est le problème ? »

Le médecin avait l'air mal à l'aise. « M. DeLuca, le groupe sanguin de votre fils a été testé cinq fois par nos infirmières et a donné à chaque fois le même résultat. Son groupe sanguin est AB positif. Il n'y a pas de doute. »

Cosimo sentit le sang se retirer de son visage. « Quoi ? »

Nicco comprit la situation avant son père et se tourna vers eux avec un visage sinistre. « Ils disent que je ne suis pas ton fils, papa. Ils disent que maman t'a trompé… »

20

CHAPITRE VINGT

Une semaine. Voilà le temps qu'il avait fallu pour que leur vie entière soit à jamais chamboulée. Biba était sortie de l'hôpital cinq jours après les évènements funestes qui l'y avaient conduite. Cosimo et elle s'étaient installés à son hôtel en ville. Le manoir de Lakewood avait été ferme et considéré comme une scène de crime et le film avait été abandonné pour le moment. Les acteurs et l'équipe de tournage s'étaient donc tous rendus à l'hôtel. Chacun d'eux avait été interrogé sur la nuit du meurtre de Rich et de l'enlèvement de Stella. Les médias nationaux s'étaient jetés sur l'affaire comme des vautours.

Cosimo avait réussi à faire entrer Biba par l'ascenseur de service. Ils avaient été obligés d'utiliser ce stratagème, car les paparazzis assiégeaient l'hôtel. Les journalistes avaient tous fait des choux gras de la relation entre Cosimo et Biba et cela provoquait une fascination qui leur déplaisait profondément. C'était la vieille histoire de l'univers pailleté du cinéma qui attirait et fascinait les gens.

Cosimo, encore sous le choc de la révélation sur Nicco, était complètement effondré. Tout ce qu'il pensait sur son mariage était un mensonge. Il avait la sensation que son cœur était brisé. Mais, Nicco, malgré son jeune âge avait réussi à exprimer ce que Biba, Olivia et lui pensaient. « Je me fiche de l'ADN que j'ai… tu es mon père et j'emmerde le monde entier. »

Biba ne pouvait qu'être d'accord avec lui sur ce sujet. « Qu'importe la génétique Cosimo. Tu l'as élevé, et tu l'aimes, Nicco est ton fils. »

UNE FOIS seul avec Biba dans leur suite d'hôtel, Cosimo pouvait enfin faire face à ce qui s'était passé. Ils se couchèrent ensemble sur le lit. Biba l'embrassa. « C'est un peu étrange d'être au lit avec toi et de ne pas pouvoir faire l'amour. Tu es sûr que le médecin a dit six semaines et pas six heures ? »

Cosimo éclata de rire. « J'en suis malheureusement certain. Tu dois d'abord guérir. Nous avons eu tellement de chance que ce n'ait pas été pire. »

"Je n'arrête pas de penser à Stella et à Rich. Rich n'aurait jamais dû mourir. Pourquoi crois-tu que cela soit arrivé ? »

« Je pense que, comme vous, il est arrivé au mauvais moment, alors que le psychopathe était sur le point d'enlever Stella. Ou peut-être que Rich est arrivé juste avant, et qu'il a été poignardé parce qu'il était au mauvais endroit au mauvais moment. »

Biba fit une grimace de dégoût. « Je n'arrête pas de penser au sang. »

Cosimo lui caressa le visage. « Essaye de ne pas y penser. » Il appuya ses lèvres sur les siennes, la sentant réagir. « Biba… quand tout sera fini, je veux t'emmener en Italie. Je veux passer du temps seul, avec toi. Je suis persuadé que nous allons finir par retrouver Stella vivante. »

« Comment peux-tu en être si sûr ? »

Il eut un rire sans humour. « Je ne sais pas. »

On frappa à la porte et Cosimo se leva. C'était leur garde de sécurité privé. « Je suis désolé de vous déranger, monsieur, mais deux militaires sont ici pour vous voir. »

Cosimo eut un regard confus quand Biba s'assit. « Je ne sais pas… »

« Laisse-les entrer », dit Biba d'une voix étrange, se levant et venant à ses côtés. « S'il vous plaît. Laissez-les entrer. »

Cosimo la regarda avec confusion, mais l'expression de Biba était glaciale.

Les deux visiteurs firent leur entrée dans la suite. Il s'agissait d'un homme et d'une femme. Cosimo comprit soudain. Il sentit Biba se raidir à ses côtés. « Eh bien », dit-elle d'une voix sèche « Bonjour maman. Bonjour papa. Que nous vaut le plaisir de votre visite ? »

COSIMO ALLA AU BAR, et Sifrido et Franco lui firent un signe. « Comment va Biba ? »

« C'est difficile à dire, pour le moment, ses parents viennent enfin d'arriver. »

Sifrido siffla, mais Franco acquiesça. « Bien. Il était temps. «

Cosimo eut la sensation d'avoir cent ans. « Donne-moi une bonne nouvelle. » Sifrido avait pris l'initiative de rester en contact avec l'enquête de la police, tandis que Lars et Channing s'occupaient du studio et du FBI.

« Eh bien, tut ce que je peux dire, c'est : pas de nouvelles, bonnes nouvelles... » dit Sifrido, et les épaules de Cosimo s'affaissèrent.

« Merde. Je me sens tellement inutile. Ne pouvons-nous pas lancer un appel public, ou quelque chose de ce genre ? »

« Nous pourrions — mais qui sait si cela sera positif ? »

Cosimo soupira. « Ça vaut le coup. Je vais en parler à Lars et Chan. Peut-être que nous pouvons persuader l'agent Stupide de nous aider. »

« Peut-être. »

« Je dois faire quelque chose... comment va Gunter ? »

Franco soupira. « Il a démissionné, c'est tout ce que nous savons avec certitude. Il a décidé de rentrer en Allemagne dès qu'il y sera autorisé. Pauvre gosse. Rich était son autre moitié à bien des égards. On ne sait parfois pas qu'une amitié profonde est aussi importante qu'une relation amoureuse ou familiale. »

. . .

Dans leur suite, Biba se demandait, qui étaient ces gens qui se tenaient debout devant elle. Le temps ne les avait pas vraiment marqués, à part les quelques fils gris qui ornaient leurs cheveux. Ses parents n'étaient pas différents de la dernière fois qu'elle les avait vus.

« Alors, vous êtes là. » C'était à peu près tout ce qu'elle réussit à dire, après de longues minutes de silence.

Son père se racla la gorge. « Il semble que tu aies été blessé. »

« J'ai été poignardée. Oui. J'ai été à l'hôpital pendant cinq jours. C'était aux nouvelles, c'est surement comme ça que vous l'avez su. » Biba n'était pas disposée à être aimable.

« Tu aurais pu nous appeler. » Sa mère parla enfin et Biba détecta une petite inflexion dans sa voix. Sa mère, le major, était nerveuse. Mais la jeune femme n'en avait cure.

« J'aurais pu, c'est vrai, mais encore une fois j'étais occupé à récupérer après avoir été poignardé. On m'a poignardé. C'est le mot que vous ne comprenez pas ? » Elle fit un bruit dégoûté. « Pourquoi êtes-vous venus ? »

Son père jeta un coup d'œil à sa mère, puis s'éclaircit la gorge. « Nous voulions te dire... à propos de Derek... Nous sommes désolés. Nous sommes désolés de ne pas t'avoir écoutée. «

Biba regarda son père. « Derek a été envoyé en prison il y a cinq ans. Vous avez eu cinq ans pour vous excuser. Pourquoi maintenant ? »

« Parce que... »

« Parce que j'ai été poignardée ? Alors, maintenant que j'ai presque été assassinée, je mérite des excuses ? Ne vous donnez pas cette peine. »

Elle se détourna d'eux, ne voulant pas qu'ils voient ses larmes, mais sa mère l'attrapa par le bras.

« Biba... s'il te plaît. Écoute-nous. »

Biba soupira. « Vous savez quoi ? Bien. J'accepte vos excuses. Vous êtes pardonné. Mais vous devrez m'excuser. Mon ami vient d'être assassiné et ma patronne, qui est aussi une amie, a été enlevée par un psychopathe qui a planté son couteau dans mon ventre. Deux fois. Je n'ai pas le temps de faire des conciliabules, quand ma vraie famille souffre. Au revoir et merci d'être venus. »

Elle se détourna à nouveau et retourna dans la chambre, fermant la porte derrière elle, mais restant près d'elle pour entendre ce qu'ils avaient décidé de faire. Elle entendit des voix basses et la porte de la suite s'ouvrir et se refermer. Elle jeta un coup d'œil dehors et vit avec soulagement qu'ils étaient partis. Elle alla chercher le gardien et lui demanda où Cosimo était parti.

« Je crois qu'il est au bar, mademoiselle May. Je vais vous escorter. »

STELLA TENTA de bloquer la puanteur de la mort hors de son nez avec la couverture qu'il lui avait donnée. Après tout ce temps, il lui avait permis d'enfiler des vêtements. La femme qui vivait ici, et qui fixait à présent Stella avec des yeux aveugles et morts alors qu'elle se blottissait dans la minuscule chambre verrouillée, avait à peu près la même taille qu'elle.

Quand il avait traîné Stella ce qui allait devenir sa prison, il lui avait montré le placard sans rien dire. Stella était pathétiquement reconnaissante d'avoir trouvé ces vêtements : des pulls, des jeans, et chaussettes. Elle avait enfilé tout ce qu'elle avait pu trouver, en superposant les couches. La chambre elle-même était chauffée, le lit était confortable et Stella devait admettre que si elle n'avait pas été terrifiée par sa mort imminente, elle aurait pu prétendre qu'elle passait des vacances dans un endroit confortable.

Mais elle était terrifiée, dormant à peine au cas où il déciderait de la violer. Il l'avait cependant, souvent laissée de longues heures seule. Mais, ce matin, il avait déverrouillé sa porte et l'avait fait sortir dans le salon. Elle essaya de ne pas regarder la femme morte affalée dans le fauteuil, sa chemise trempée de sang, le cou tranché de part en part, presque jusqu'à l'os. La brutalité de l'acte la fit frissonner, lui rappelant, si besoin était, la façon dont il avait attaqué Biba. Cet homme était un sauvage, totalement dénué de pitié.

« Qui était-elle ? » Demanda Stella sans réfléchir, mais il l'ignora.

Stella déglutit et s'avança vers la femme. « Puis-je au mois lui fermer les yeux ? La couvrir ? »

« Laisse-la tranquille. » L'écharpe nouée sur son visage lui étouffait le son de la voix, mais au moins il n'utilisait plus le manipulateur. Stella décida qu'elle voulait essayer de le faire parler. Elle devait absolument savoir si c'était quelqu'un qu'elle connaissait...

Parce qu'elle avait compris que c'était *forcément* le cas. Il avait dû passer la sécurité mise en place par Cosimo à Lakewood, il savait exactement où se trouvait sa caravane, et, où la trouver...

« Pouvons-nous parler »' Stella décida de faire appel à son charme légendaire, qu'avait-elle à perdre ? Elle détourna les yeux de la femme morte, voilà ce qu'elle avait à perdre, sa propre vie.

Elle se percha sur une chaise. « Que faisons-nous ici ? Vos lettres disaient... que nous serions ensemble, et bien, c'est fait, et maintenant ? »

Elle ne fit délibérément pas allusion aux menaces de sa dernière lettre. Son ravisseur s'assit en face d'elle, la regardant avec ses yeux anormalement bleus, sans rien dire. Stella essaya encore. « Écoutez, je n'ai pas vu votre visage. Il est encore temps de tout arrêter et me laisser partir. Ou alors, dites-moi ce que vous voulez, et je ferais de mon mieux pour vous le donner. » Elle cacha le dégoût qu'elle ressentait, a la simple idée d'être touchée par ce monstre.

Il porta le modificateur de voix à sa bouche. « Tu mens. Tu ne veux pas de moi. Essaye de ne pas insulter mon intelligence. »

Stella soupira. « Alors... pourquoi suis-je ici ? »

« Pour mourir. »

Stella essaya de garder son calme. « Mais pourquoi ? Que vous ai-je fait ? » Elle jura silencieusement alors que sa voix se brisait. « Vous n'étiez pas obligé de tuer Biba ? »

« Depuis quand te soucies-tu d'elle ? »

« Elle était mon amie. »

Il eut un rire sarcastique. « Vu la façon dont tu la traitais, c'est difficile à croire. »

Il les connaissait donc toutes les deux. « Vous connaissez Biba ?

Cela ne vous dérange donc pas d'avoir assassiné une douce fille, comme elle ? »

« J'ai adoré ça. »

Oh, mon Dieu... il se leva et alluma la télévision. « Il faut que tu voie ça. »

Stella fut surprise de voir Cosimo devant une marée de journalistes avec l'agent du FBI à ses côtés, ainsi que Lars. Il avait l'air épuisé et abattu. Stella vit les mots *'En différé'* dans le coin de l'écran. Elle essaya de se concentrer sur ce que Cosimo disait.

« S'il vous plaît, qui que vous soyez... vous avez déjà tué une personne. Il est temps que cela se termine. Rendez-nous Stella indemne, et nous ferons tout ce qui est en notre pouvoir pour vous offrir l'aide dont vous avez besoin. »

« Il ment » dit son ravisseur.

Stella l'ignora. Cosimo avait le cœur brisé et Stella se sentait coupable. Il avait visiblement beaucoup aimé Biba.

Une soudaine rage s'empara d'elle. « Pourquoi me montrez-vous cela ? Qu'espérez-vous de moi ? »

Il ne dit rien et, frustrée, Stella se leva. « Laissez-moi partir. Maintenant. Tout ça, c'est de la folie. »

Elle eut juste le temps de cligner des yeux une fois avant qu'il ne se jette sur elle.

Chapitre Vingt-et-un

Biba regardait attentivement Cosimo parler à la presse. Elle avait l'impression d'avoir vieilli de cent ans depuis que ses parents étaient venus la voir, elle était à bout de forces et de nerfs. Son corps lui faisait mal, et elle supportait mal la compagnie des personnes, à l'exception de Cosimo. Elle avait hâte que tout soit terminé, et que Stella soit en sécurité, Biba se sentait terriblement coupable. Si seulement elle ne s'était pas disputée avec Stella... Elle serait venue au feu d'artifice cette nuit-là et Rich serait encore en vie.

Tandis que Cosimo était occupé avec les journalistes, Biba se glissa dans le salon de l'hôtel. Elle appela Reggie, elle avait besoin d'entendre la voix de son vieil ami.

"Salut, Biba."

« Salut Reggie... comment vas-tu ? Comment va Marie ? »

"Je vais bien... mais maman est au paradis du sucre."

Biba éclata de rire, elle sentait son corps se relaxer. "Sérieusement, comment va-t-elle ?"

Reggie soupira. « Elle pourrait aller mieux, mais tu connais maman, c'est une battante. Des nouvelles de Stella ? »

"Malheureusement, aucune."

"J'ai vu la conférence de presse... je ne suis pas sûr que ça serve à quelque chose."

« Malheureusement, je suis d'accord avec toi, mais Cosimo se sentait si impuissant. Nous ne savions simplement pas quoi faire. Si au moins il demandait une rançon, mais c'est comme s'ils avaient disparu de la surface de la Terre. Peut-être qu'elle est déjà morte... » Sa voix trembla et elle se mit doucement à pleurer.

" Biba." La voix de Reggie se fit plus douce. "Ne pleure pas."

"Je ne savais même pas que je l'aimais vraiment, jusqu'à son enlèvement », sanglota Biba. « C'est l'une des personnes les plus difficiles à vivre que je connaisse, mais je l'aime comme une sœur. L'idée qu'elle soit seule, effrayée, à la merci de ce malade, m'est insupportable. Qui sait ce que ce trou du cul est en train de faire. Stella n'est pas aussi dure qu'elle le parait. »

Il y eut un long silence au bout du fil. « Chérie... je te connais. Tu te sens coupable et tu as complètement tort. Comment aurais-tu pu savoir ? »

"J'aurais dû me battre plus."

"Il t'a poignardé, Biba... personne n'aurait pu faire plus."

Biba ne pouvait arrêter ses larmes. “Reg...”

« Écoute... Est-ce que tu veux venir ici ? Pour quelques jours ? Pour t'éloigner de tout ce cirque ? »

Soudain, Biba entrevoyait cela comme une solution à tous ses problèmes. "Je vais en parler à Cos."

"Tu n'as qu'un mot à dire, et je viens te chercher."

Bien que Biba ne veuille pas s'éloigner de Cosimo, elle voulait surtout s'éloigner de Tacoma et Cosimo le comprenait. « Je veux que tu sois hors de danger, bébé. Je sais que Reggie saura prendre soin de toi, tu seras en sécurité avec lui, en attendant. »

Ils se retrouvèrent enfin seuls dans la suite de leur hôtel, tard dans la soirée, après une journée passée à s'adresser à la presse, et entourés d'autres personnes. Ils étaient tous les deux heureux de passer du temps ensemble. Cosimo lui caressa le visage. "Tu as l'air d'avoir mal."

"Oui, un peu. Le médecin a dit que ce serait douloureux encore quelques jours. J'aimerais... Je veux juste être près de toi, Cosimo, surtout en ce moment, et j'ai l'impression que mon corps m'en empêche. "

Cosimo l'embrassa. "Tu sais que nous pouvons faire des tas de choses sans que cela ne te fatigue trop."

Biba sourit. "Montre-moi."

Il la déshabilla lentement, embrassant chaque centimètre de peau exposée, il posa ses lèvres tendres sur son corps. Ses doigts puissants caressèrent ses courbes, effleurant ses mamelons, les rendant plus raides et tellement sensibles qu'elle pouvait à peine le supporter.

Cosimo écarta doucement ses jambes, se plaçant entre elles pour prendre son clitoris dans sa bouche. Biba gémit doucement alors que de délicieuses sensations inondaient ses sens ; Cosimo était un expert, cela ne faisait aucun doute. Il la taquina du bout de sa langue, l'enroulant autour de son clitoris sensible jusqu'à ce qu'elle crie, atteignant un orgasme incroyablement puissant. Cosimo, souriant, s'approcha pour l'embrasser. "Tu vois ?"

Biba, une fine pellicule de sueur sur le visage, acquiesça. "À mon tour de te faire plaisir."

Elle se pencha pour prendre son énorme queue palpitante dans ses mains et se caressa les cuisses avec. Elle glissa une main experte autour de ses couilles alors que de son autre main, elle caressait son sexe brûlant, augmentant la pression et la vitesse jusqu'à ce que Cosimo gémisse, que son sexe ne gonfle et qu'il n'explose en de nombreux jets de liquide chauds et collants sur sa peau. Ils s'embrassèrent passionnément, un peu frustrés de ne pouvoir aller plus loin.

Ils se caressèrent, et explorèrent les plaisirs que pouvaient leur apporter leurs corps pendant des heures, puis, ils s'endormirent, complètement épuisés. Dans la matinée, ils furent réveillés par un Lars excité, qui leur apprit que le FBI avait une piste.

21

CHAPITRE VINGT-DEUX

Tous ensemble, assis dans la salle de conférence de l'hôtel, ils écoutaient la communication radio de l'agent du FBI, via un système mis en place pour leur permettre de suivre l'opération. Biba et Cosimo étaient assis côte à côte, main dans la main, le cœur battant à tout rompre. La perspective de revoir Stella réchauffait le cœur de Biba.

S'il te plait, s'il te plait, fais qu'elle soit saine et sauve... Biba se promit que si elle avait la chance de revoir Sella, elle ne se disputerait plus jamais avec elle. Elles ne seraient plus jamais les mêmes, après ces évènements, Biba espérait que cela changerait leur relation pour toujours.

Luke Harris hocha la tête en entrant dans la pièce. "Dans quelques minutes, vous entendrez le chef des opérations donner des ordres à ses hommes."

"Où sont-ils ?"

"À Rainier — une cabane près de l'entrée Nisqually du parc."

Biba étudia l'agent avec attention. S'il arrivait à ramener Stella en vie, elle s'excuserait d'avoir eu toutes ces pensées négatives à son sujet. "Comment les avez-vous trouvés ?"

« Nous ne les avons pas, pour ainsi dire, trouvés, mais nous avons reçu un tuyau. Je ne veux pas vous donner de faux espoirs, mais c'est l'une des meilleures pistes que nous ayons eues. »

« Quel genre de tuyau ? »

« C'était un appel anonyme de quelqu'un qui vit à la montagne. Il semble qu'il ait vu quelque chose de suspect. Une femme se battait avec un homme, devant l'un des chalets la nuit où Mme Reckless a été enlevée. »

« Et il lui a fallu tout ce temps pour appeler ? » La voix de Cosimo exprimait clairement le scepticisme ressenti par Biba. Luke Harris haussa les épaules et Biba essaya de ne pas lui en vouloir. Il n'était vraiment pas un bon agent.

"Avez-vous pensé qu'il mentait peut-être ? Le fameux informateur pourrait très bien être le vrai tueur, vous ne pensez pas ? » La voix de Biba était froide, mais Harris repoussa sa question.

"Nous ne pensons pas que ce soit le cas", dit-il avec un sourire suffisant et condescendant. Biba avait envie de le frapper. Au lieu de cela, elle se pencha vers Cosimo et lui murmura à l'oreille.

"Je ne pense pas que ce soit une bonne piste. Toute cette histoire m'a l'air bizarre "

Cosimo l'étudia attentivement. "J'espère que tu as tort, mais je suis d'accord. Tout ça m'a l'air étrange. »

Pendant qu'ils attendaient la suite de l'opération du FBI, on frappa et Reggie passa la tête dans l'embrasure de la porte. "Puis-je vous rejoindre ?"

"Bien sûr."

Il fit un câlin à Biba et donna une tape dans le dos de Cosimo. "Comment ça va ? Channing m'a dit en bas qu'ils avaient une piste. »

Biba lui lança un regard. "Ouais. L'agent Harris en est sûr. »

Reggie comprit tout de suite le sous-entendu. "Ah."

Dix minutes plus tard, les pires craintes de Biba étaient confirmées. Il s'avéra qu'il s'agissait d'une fausse alerte : l'équipe du SWAT avait déboulé dans le salon d'un couple de personnes âgées, très choqué. L'agent Harris avait l'air abattu. "Bien, évidemment, nous allons..."

Mais Biba en avait assez. Elle se leva et sortit de la salle de conférence, suivie de Cosimo et de Reggie. Biba ne pouvait cacher sa colère, en entrant dans sa suite.

"Quel connard", dit-elle, "il ne prend rien au sérieux. C'est la vie de Stella qui est en danger. »

Cosimo la prit dans ses bras. "Je sais, Snooks." Il regarda Reggie. "Écoute, Reg, je sais que tu es ici pour emmener Biba chez ta mère, mais je veux que tu prennes des gardes du corps avec toi."

« Pas de problème », dit Reggie, le regard inquiet. "Je ferais ce qu'il faut pour m'assurer de la sécurité de Biba."

Biba leva les yeux vers Cosimo. « Je ne suis plus aussi sûre de vouloir y aller. Excuse-moi, Reg, mais je pense que je dois rester avec Cosimo. »

« Non », dit fermement Cosimo. « Tu dois absolument t'éloigner de tout ce merdier pour pouvoir te rétablir. Je dois rester, mais je viendrai vous rejoindre dans quelques jours, si ça te va, Reg ?

"C'est parfait. Le chalet de maman est assez grand, nous en profiterons pour faire la fête, quand tout cela sera fini. »

Cosimo sourit. "Merci. Alors, bébé, nous ne serons pas séparés très longtemps. »

Biba n'était pas contente, mais acquiesça. "D'accord."

COSIMO SE DIRIGEA VERS STEVE, le responsable de sa sécurité, et lui demanda d'accompagner Biba et Reg. "Prenez soin d'eux, il ne doit rien leur arriver " dit-il, et Steve acquiesça.

"Ne vous inquiétez pas."

"Et appelez-moi toutes les heures pour me tenir au courant... d'accord ?"

"Pas de soucis, patron."

AVANT QUE BIBA ne parte avec Reggie, elle et Cosimo s'isolèrent quelques instants. En appuyant ses lèvres sur les siennes, Biba l'embrassa en murmurant : "Je t'aime tellement, Cosimo DeLuca."

"Épouse-moi, Biba May." Cosimo lui caressa les cheveux. « Je sais que c'est une idée folle. Je sais que nous avons beaucoup à apprendre l'un sur l'autre, mais je ne peux plus attendre. Quand tout sera fini, quand Stella sera de retour auprès de nous, épouse-moi.

« Oui », dit Biba sans hésiter « Oui, Cosimo, je vais t'épouser. Tu as raison. N'attendons plus. »

Un grand sourire éclaira le visage de Cosimo. "J'ai vraiment hâte d'être ton mari."

"Je veux être ta femme." Elle hésita un peu. "Est-ce que tu penses que Nicco sera d'accord ?"

"Appelons-le, et demandons-lui."

Durant la conversation vidéo qu'ils eurent, c'était évident que Nicco était ravi. « Bien joué, papa », dit-il, faisant rire Biba. "Je n'ai pas besoin de t'appeler maman, n'est-ce pas ?"

"J'espère que, non", dit Biba en faisant une grimace. "Pourquoi ne pas être des potes ?"

"Ça me va. Alors, quand est prévu le grand jour ? »

« On ne sait pas encore. Quand tout ce cauchemar sera terminé, Nic. » Cosimo sourit à son fils.

« J'aimerais me marier à Venise », dit soudain Biba, « en été, nous quatre. Ou cinq, si nous incluons Reggie — il me faudra un témoin. »

Ils sourirent tous, et Cosimo sembla touché. "Alors ce sera Venise..."

Il embrassa Biba et Nicco protesta. "Mon Dieu, soyez un peu plus discrets."

Alors que Reggie amenait sa voiture et bavardait avec Steve, Cosimo embrassa Biba. « Je serai plus tranquille de savoir que tu es hors de danger. Je t'aime. »

REGGIE ET BIBA ne parlèrent pas beaucoup durant leur voyage vers le chalet de la mère de Reggie. Ils étaient tous deux conscients de la présence de Steve qui roulait dans la voiture derrière eux.

"Je veux juste que tout se termine", déclara Biba, "je n'arrête pas de penser à Stella, elle doit être terrifiée."

"N'y pense pas," dit Reggie, "Tu risques d'imaginer le pire."

Biba fronça les sourcils. « Écoute, tu n'as pas vu la merde qu'il lui a envoyée. Le gars est complètement malade. »

"Je sais, mais c'est possible qu'il se soit dégonflé, après l'avoir kidnappé."

« Ce genre d'homme ne se dégonfle pas, Reggie… il a poignardé Rich sept fois. Il m'a poignardé deux fois. Je doute que « se dégonfler » soit dans son vocabulaire. » Elle était soudain en colère, stupéfaite par le manque de sensibilité de son meilleur ami.

"Je ne veux pas me disputer, Beebs."

Un silence inconfortable s'installa entre eux pendant un moment, Biba se demandant si elle avait pris la bonne décision. À présent, loin de Cosimo, elle se sentait plus vulnérable, que jamais.

En entrant dans le Parc Olympique, Reg jeta un regard soudain sur la jauge. "Merde."

Biba lui demanda. "Qu'est-ce qui se passe ?" Elle remarqua que la voiture ralentissait. Dehors, la neige tombait lourdement. Reg mit les clignotants et déplaça la voiture sur le côté de la route.

« La voiture a un problème. Attends… »

Il arrêta le véhicule et sortit, se dirigea vers l'avant et ouvrit le capot. Biba vit Steve s'arrêter derrière eux. Il sortit de la voiture et se dirigea vers eux. Il frappa à la fenêtre en demandant : « Ça va ? » Biba hocha la tête et lui fit un signe de la main, et Steve continua de parler à Reggie.

Biba attendit pendant que les deux hommes jetaient un coup d'œil à la voiture, sursautant légèrement lorsque le capot claqua. Biba les regardait parler, mais tandis que Steve se détournait, le monde s'écroula autour d'elle.

Avec horreur, Biba vit Reggie sortir un pistolet de sa veste pour le pointer derrière la tête de Steve. "Non !" Cria Biba, mais c'était trop tard.

Reggie tira directement dans la tête Steve et le garde du corps s'écroula comme une pierre. Biba n'en croyait pas ses yeux. Elle ouvrit la portière de la voiture et en sortit en titubant, regardant fixement son meilleur ami.

Reggie lui sourit. « Ne cours pas, Biba. Je ne veux pas avoir à te tuer ici. »

Ses jambes ne l'auraient pas soutenu, même si chaque cellule de son corps lui criait de courir. Reggie apparut à ses côtés en un éclair, prenant son bras et la ramenant à la voiture. Il appuya le pistolet contre son ventre blessé, et appuya, fort, et elle haleta sous la douleur. « Ouvre la boîte à gants, tu y trouveras des menottes. Je veux que tu menottes ta main gauche et que tu la passes à l'arrière de ton siège. Si tu tentes quoi que ce soit, je décharge toutes les balles de ce joli pistolet dans ton ventre. »

Biba vivait un cauchemar, cela n'était pas possible, son meilleur ami, son Reggie ne pouvait pas être ce monstre. Il était complètement fou.

Biba fit exactement ce que Reggie lui avait demandé, et elle menotta sa main droite à sa gauche, au dos du siège. Elle était piégée.

Reggie reprit la place du conducteur. « Allons-y, maintenant. Je connais quelqu'un qui a hâte de te voir.

22

CHAPITRE VINGT-TROIS

Cosimo avait le pressentiment que quelque chose n'allait pas. Il partit à la recherche de Lars, qui travaillait sur l'une des tables du salon. Lars lui sourit tandis qu'il s'asseyait.

"Biba va bien ?"

Cosimo hocha la tête. "Oui, mais à bien y réfléchir, je n'aurais jamais dû la laisser partir."

"Tout le monde a peur", dit Lars avec un haussement d'épaules. « Depuis l'enlèvement de Stella, tout le monde a peur. Mais ne t'inquiète pas Cosimo, elle est avec Reggie et Steve. Ils feront tout pour la protéger, ils ne laisseront personne lui faire du mal. »

Cosimo soupira. "Tu as raison. Tu as des nouvelles ?"

"Pas de Stella, mais la famille de Rich va poursuivre le studio en justice."

« Je ne leur en veux pas. Tu peux leur dire que je les soutiendrai dans la procédure. »

"Ils vont aussi te poursuivre," dit Lars avec un demi-sourire, et Cosimo renifla.

« Je ne leur en veux pas non plus. Dites à leur avocat que je paierais ce qu'il faut. »

"Dix-sept millions ?"

"Ce qu'ils voudront."

Lars rit à nouveau. "Le bonheur d'être milliardaire."

Cosimo sourit, mais ses yeux étaient sérieux. « C'est ma responsabilité qui est engagée, Lars. Quand je suis réalisateur sur un plateau de tournage et que quelque chose comme cela se produit, je suis responsable. J'aurais dû améliorer la sécurité, demander un autre agent du FBI, j'aurais dû faire beaucoup plus. »

"Tu avais pour ainsi dire, une armée sur le tournage."

Cosimo se frotta le visage puis sortit son téléphone portable de sa poche. "Steve est censé m'appeler toutes les heures."

"Depuis combien de temps sont-ils partis ?"

"Quarante minutes."

Lars prit le téléphone de Cosimo. « Tu vas devenir fou comme ça. Détends-toi un peu, tu n'as pas vraiment le choix de toute façon. »

« Peut-être que je devrais les suivre jusqu'au chalet. »

"Seigneur ! Cosimo." Sifrido s'approcha d'eux, levant les yeux au ciel. « Tu es toujours aussi impossible ? Détends-toi un peu. »

Il se laissa tomber dans un fauteuil et échangea un regard avec Lars que Cosimo intercepta. Lars prit son téléphone. « Je dois passer un appel. Je reviens tout de suite. »

Cosimo attendit que Lars soit parti avant de regarder Sifrido. « Que se passe-t-il ? »

Sifrido hésita. « Je ne suis pas sûr que ce soit le bon moment pour en parler. Je ne pense pas que le moment soit propice pour tenir cette conversation. »

« Crache le morceau, Frido. »

Sifrido redressa les épaules « C'est à propos de Grace... et de moi. Et d'une nuit, il y a seize ans. »

Il n'eut pas besoin d'en dire plus, mais Sifrido était à mille lieux de s'imaginer la réaction qui vint après cet aveu. "Oh, merci mon Dieu."

Sifrido haussa les sourcils. "Pardon ?"

Cosimo se mit à rire. « Aussi étrange que cela puisse te paraître... je suis heureux que ce soit toi. J'ai toujours senti que Grace et toi étiez attirés l'un par l'autre, mais je n'étais pas au courant que vous aviez consommé. Mais, mon Dieu, je suis soulagé. Connaissant Nicco... tu sais. »

Sifrido était incrédule. "Ça ne te dérange pas d'avoir élevé le fils d'un autre homme ?"

Cosimo sourit. "Je n'ai rien fait de tel. J'ai élevé mon fils. Nicco est mon enfant, quel que soit son ADN. Si ces dernières semaines m'ont appris quelque chose, c'est que la famille va au-delà des liens du sang. C'est plus profond que ça. Tu es ma famille, Frido, alors le fait que Grace et toi... Je m'en fous. Nicco est mon fils et je l'aime plus que tout. »

"Plus que Biba ?"

« À égalité avec Biba. Je ne dis pas que découvrir que Nicco n'est pas mon fils biologique ne soit pas un véritable choc, mais Dieu m'en est témoin, que je ne saurais être plus fier de Nicco et de l'homme qu'il devient. »

Sifrido passa la main dans les cheveux, ne croyant toujours pas ce qui se passait. « Je suis désolé pour Grace. Ce fut un moment de faiblesse et nous avons eu vraiment honte après cela. Je ne pense pas qu'elle savait, à propos de Nicco. Je crois sincèrement qu'elle pensait que c'était ton fils. »

Cosimo se leva et étreignit son ami. "Veux-tu le dire à Nicco ?"

"Je ne sais pas. Peut-être qu'il n'aimerait pas savoir. »

Cosimo réfléchit à la question. "Le mieux, est de lui poser la question."

Il donna un coup de fil à Nicco un peu plus tard pour lui dire qu'il avait découvert l'identité de son père.

"Oui, c'est *toi*", dit Nicco, "mais je suppose que je devrais savoir de quel ADN je viens."

Cosimo fut soulagé lorsque Nicco prit la nouvelle aussi bien. « C'est mieux que ce que je pensais », déclara Nicco, « au moins, Frido est un ami de la famille. »

« C'est exactement ce que j'ai dit. »

"Je vais cependant me défouler sur lui, pour avoir joué avec les sentiments de ma mère."

Cosimo rit, sachant que Nicco plaisantait. "Je suppose que c'est ton droit, mon fils."

"Comment va Biba ?"

La sensation de malaise qui l'avait étreint depuis quelques minutes se réinstalla. "En route pour le chalet de la mère de Reggie." Il vérifia sa montre. "Et le mec qui doit prendre soin de sa sécurité ne m'a pas rappelé. Nic, je dois y aller."

« Bien sûr, papa. Embrasse Biba pour moi, s'il te plaît.

"D'accord, fils, à plus tard."

Cosimo mit fin à l'appel et composa le numéro de Steve. Même s'il conduisait, Steve devrait pouvoir répondre au téléphone, mais aucune réponse. Après dix sonneries, il fut redirigé vers la messagerie vocale.

Il dut prendre sur lui pour ne pas paniquer, tout irait bien. Il prit une profonde inspiration, et essaya de se détendre.

Mais au bout de trois heures, il sut qu'il était arrivé malheur. Quelque chose n'allait vraiment pas. Il partit à la recherche de Lars et Channing. « Les gars », dit-il d'une voix sinistre. « J'appelle la police. Essayez de découvrir ce que vous pouvez sur Reggie Quinn. Je pense que le meurtrier se cachait parmi nous depuis tout ce temps. »

23

CHAPITRE VINGT-QUATRE

Reggie poussa Biba, toujours menottée, dans le chalet et elle gémit quand elle vit le corps de Mary Quinn calé dans la chaise. "Mon Dieu, qu'as-tu fait ?" Son murmure était plein de chagrin.

Pourquoi Mary ? Il n'y avait aucun doute sur ce qui lui était arrivé, vu le trou béant dans son cou.

Reggie sourit. « Maman est en paix maintenant. Elle était vraiment malade, tu sais, Biba. »

Ses yeux se rétrécirent. "Comme son fils."

Il rit. « Être amoureux n'est pas une maladie, Biba, tu devrais le savoir. Mon amour pour Stella est réel, c'est un rêve, tu vas m'aider à faire de ce rêve une réalité. » Il retira les menottes de ses poignets, puis, la serrant fermement dans ses bras, il la guida vers l'arrière du chalet. Déverrouillant une porte, il la poussa à l'intérieur. Biba et Stella furent aussi surprises l'une que l'autre, de se revoir, enfin. Stella poussa un cri et les deux femmes se jetèrent l'une contre l'autre en s'embrassant. "J'ai cru que tu étais morte. Je pensais que tu étais morte », disait Stella qui n'arrivait pas à calmer son hystérie.

Biba la tenait si fort qu'elle pouvait sentir ses bras s'engourdir. "Ça va aller, ça va maintenant, je suis là. »

"Comme c'est mignon."

Stella se tourna vers Reggie. "Tu m'as dit que tu l'avais tuée."

Reggie haussa les épaules. "J'ai juste pris un peu d'avance c'est tout. Ce sera bientôt le cas. »

Biba ne pouvait pas en croire ses oreilles. Reggie ? Son Reggie ? Son meilleur ami ? "Tu m'as poignardé."

Il lui sourit. "En effet. Je n'avais pas prévu de faire du mal à qui que ce soit, mais Rich s'est mis en travers de mon chemin, ensuite, toi aussi tu t'es interposée. »

« Il m'a dit qu'il avait aimé te poignarder. » Stella tenait la main de Biba. "N'est-ce pas, espèce de grand malade ?"

Reggie éclata de rire. « C'est vrai, je l'avoue. Et c'était vrai, enfoncer mon couteau dans ton ventre moelleux, Biba, m'a fait bander. C'est pour cela que je vais le refaire, mais cette fois-ci, il n'y aura pas de fin heureuse pour toi. »

"Ne la touche pas !" Stella traîna Biba derrière elle. Biba était sous le choc.

« Pourquoi penses-tu que je l'ai traînée ici, Stella ? Elle est notre assurance. Nous allons aller jusqu'à la frontière canadienne avec elle, puis, je la poignarderai à mort et laisserai son corps quelque part pour occuper les fédéraux quelque temps. Nous serons à des kilomètres avant qu'ils ne le sachent. De plus, tant qu'elle sera avec nous, Cosimo fera tout ce que je lui demanderai. »

Biba n'avait même pas peur. Reggie allait la tuer, puis il allait utiliser son meurtre pour s'échapper avec Stella et tourmenter Cosimo. Enfoiré. Elle ne se laisserait certainement pas faire.

"Tu vas devoir me tuer d'abord," gronda Stella, mais Biba secoua la tête.

« Il ne le fera pas. Il n'a pas les tripes. »

Elle fit face à son vieil ami, à l'homme qu'elle croyait être son ami, la seule personne en qui elle pouvait avoir confiance. Reggie l'étudia quelques secondes. "Tu sais que tu as vraiment changé depuis que tu baises DeLuca. Je dois admettre que j'ai été surpris. Pendant des années, je t'ai entendu pleurnicher sur le fait que tu avais été maltraitée dans ton enfance, que le sexe n'était pas important, que tu ne ferais jamais confiance à qui que ce soit. Tu disais être brisée à l'intérieur. Puis le bel et riche Italien arrive et tout à coup, tu oublies tout et lui écarte tes cuisses. »

« Va te faire foutre. » Dit Biba, ignorant le gémissement de peur de Stella. « Tu n'as aucune idée de ce qu'est le véritable amour. Ce n'est pas ça. Garder quelqu'un prisonnier, le menacer, l'agresser. Qui est le plus esquinté de nous deux, Reg ?

"Je vais adorer te tuer, Biba."

« Je ne te donnerai pas ce plaisir, connard. Et tu peux essayer maintenant, parce que je suis d'humeur à te botter le cul. Reggie rigola sans joie et la saisit enfouissant sa main dans ses cheveux, alors qu'il tenait le couteau à sa gorge. Biba lui écrasa les doigts de pieds, ignorant le couteau. Reggie rugit de douleur et la relâcha, non sans lui avoir tranché de bas du dos, avec la lame de son couteau, juste au-dessus de ses fesses. Biba haleta, Stella hurla et Reggie lui donna un coup de coude dans la tête. Tout devint sombre.

Pour une fois, l'agent Luke Harris essayait de ne pas être insolent. « Nos hommes sont sur le chemin du chalet, mais il y a une très grosse tempête là-haut. Nous ne pouvons pas prendre l'hélicoptère. »

« Non. Faites ce que vous voulez, je m'en fiche », hurlait Cosimo, la terreur le rendant presque sauvage. "Il va les tuer toutes les deux."

Sifrido, Lars, Channing et Franco étaient également inquiets. "Écoutez, si vous n'avez pas l'intention d'envoyer qui que ce soit, nous irons", déclara Sifrido. Harris leva les mains. « Non, vous ne comprenez pas. Nous voulons envoyer toute la cavalerie, mais je ne peux pas contrôler le temps qu'il fait. Si nous envoyons des hélicoptères là-haut, ils risquent de se planter. Plus de gens vont mourir. Je vous promets à tous qu'une armée entière se dirige vers les montagnes. Quinn n'ira pas loin. »

Cosimo passa ses mains dans ses boucles noires et ferma les yeux. "Je l'ai laissée partir, c'est moi qui lui ai confié Biba."

« Comment diable aurais-tu pu savoir ? Reggie nous a tous dupés. »

Franco acquiesça. « Ecoutes... Nous ne savons toujours pas si ce ne sont pas des problèmes liés aux intempéries. Peut-être que le réseau a souffert de la tempête, ce qui explique le silence de Steve. "

Pendant l'heure qui suivit, Cosimo essaya de garder cela à l'esprit pour s'empêcher de devenir fou. Mais son hystérie et son inquiétude atteignirent un nouveau cran, lorsque Harris, pâle, et l'air paralysé les rejoignit. «Nous avons retrouvé le corps de Steve Kimmel. Il a reçu une balle dans la tête et la voiture de Reggie n'est pas là. »

Cosimo se prit la tête entre les mains et, quand Harris les quitta pour aller se renseigner, il leva les yeux sur le visage inquiet de Sifrido. "Je dois partir",

« Frido. Je dois y aller, j'ai besoin de la sauver... de les sauver *toutes les deux*. »

Sifrido hésita une seconde. « Ma voiture est à l'extérieur. Allons-y. »

24

CHAPITRE VINGT-CINQ

Biba se réveilla, nauséeuse. Elle avait la tête sur les genoux de Stella. "Biba ?" Sa voix était un murmure. Biba réalisa qu'ils étaient dans un véhicule en mouvement.

"Où sommes-nous ?"

« Je pense qu'il se dirige vers le Canada. Je ne suis pas sûr. Non, ne bouge pas trop. Cette coupure dans le dos saigne énormément. Je n'arrive pas à arrêter le saignement. »

Merde. Cela signifiait que la blessure était trop profonde, la lame avait probablement entaillé un de ses reins. Elle allait saigner à mort, lentement et péniblement. Biba avala une gorgée de vomi.

"Stella... rapproche-toi."

Stella se pencha vers Biba, et celle-ci sentit les larmes de son amie sur sa joue. "Ne pleure pas, Stel. Je vais te sortir d'ici. »

Stella eut un rire étrangle. "Beebs, comment vas-tu t'y prendre, tu n'arrives même pas à marcher."

« Je peux... juste. Je vais distraire Reggie et le faire sortir de la route. Accroche-toi aussi fort que possible. Au moment où nous nous arrêterons, tu dois absolument sortir et courir. Ne t'arrête pas, vas aussi loin que tu peux... dès que tu peux, faites signe à une voiture de s'arrêter. "

« Tu délires, Biba. Tu n'y arriveras pas. Nous n'y arriverons pas. »

"C'est notre seule chance."

"Il a une arme à feu... il va te tirer dessus."

Biba rit doucement. « De toute façon, je suis en train de mourir. Le moins que je puisse faire, c'est de partir en beauté. »

Stella enfouit son visage dans l'épaule de Biba et sanglota. « Je suis tellement désolée pour la façon dont je t'ai traitée, Biba... La vérité est que tu es la seule personne au monde à qui je peux faire confiance, et l'une des rares que j'aime vraiment. Tu as toujours été là pour moi. Toujours. Mais je ne peux pas te laisser mourir pour moi. Ça n'arrivera pas. Soit nous nous enfuyons ensemble, soit nous mourrons ici, toutes les deux. »

« Le pouvoir des filles. » La voix de Biba s'affaiblit.

« J'espère bien qu... »

Sa phrase fut interrompue lorsque la camionnette s'arrêta. Elles entendirent Reggie sortir, puis ouvrir les portes de derrière. Elles allaient manquer de temps.

"Fais-lui croire que je suis morte", murmura Biba dans un murmure urgent. « Hurle, tape des pieds, fais autant de bruit que possible. Cela me donnera du temps. »

Stella hocha la tête et laissa échapper un cri déchirant. Biba essaya de ne pas broncher alors que ses tympans protestaient. Une bouffée d'air glacé s'engouffra dans la camionnette.

« Elle est morte ! Biba est morte ! Putain, elle a saigné à mort pendant que tu... Mon Dieu mais qu'est-ce qui ne va pas chez toi ?

Il y eut un silence, lourd, pendant lequel Biba percevait à peine la respiration de Stella. Puis... « Elle est morte ? »

Une lueur d'espoir naquit dans l'esprit de Biba. Reggie semblait choqué, on aurait même pu croire que la nouvelle venait de lui briser le cœur.

"C'est seulement maintenant que tu te rends compte de la monstruosité de tes actes", dit Stella avec sarcasme, berçant la tête de Biba dans ses bras. « C'était ta meilleure amie, Reggie, et tu l'as tuée. Comment tu vas vivre avec ça ? »

Puis Reggie eut un petit rire sarcastique, qui fit fondre l'espoir de

Biba. « Au moins, je n'aurais pas à la tuer plus tard. Laissons son corps. Ils sont déjà sur nos traces, ils la trouveront tôt ou tard. La seule chose que je regrette, c'est de ne pas pouvoir voir le visage de DeLuca. »

« Non. » Le murmure de Biba était urgent. "Ne le laisse pas te prendre avec lui."

"Je ne vais nulle part sans elle."

Biba sentit Stella s'éloigner d'elle. Non... non... En entendant la voix de Reggie s'éloigner elle aussi, elle se releva, ses vêtements entièrement gorgés de sang. Elle boita jusqu'au siège du conducteur de la fourgonnette, à la recherche de tout ce qu'elle pouvait utiliser comme arme. Sous le siège passager, elle trouva un démonte-pneu. Cela devrait faire l'affaire. Ignorant la douleur lancinante dans son dos, Biba s'éloigna dans la tempête pour suivre Reggie et Stella.

Cosimo et Sifrido conduisaient en silence, à cause de la tempête qui faisait rage autour d'eux, mais aussi devant la gravite de la situation. Ils avaient fini par tomber sur la camionnette, abandonnée sur le bord de la route, deux heures après être entrés dans le parc. "Où diable est le FBI, quand on en a besoin ?"

« Cela pourrait ne pas être eux », prévint Sifrido en sortant de la voiture, mais en inspectant l'intérieur du fourgon, Cosimo vit les traces de sang, à l'arrière du véhicule et sur le sol, gisait, un petit bracelet à breloques. Il tendit la main et ramassa la délicate chaîne en or orné d'un diamant.

« C'est eux », dit-il d'une voix sourde. "J'ai offert ce bijou à Biba, pour son anniversaire."

Sifrido lui tapota l'épaule. "Je pense qu'ils sont allés par-là."

Cosimo resta figé sur place. « Frido, regarde tout ce sang. Quelqu'un est gravement blessé.

« Pas nécessairement... Cos, viens, suivons la trainée qui se dirige vers la forêt. »

Ils trouvèrent Biba, quelques mètres plus loin, écroulée dans la neige, à peine consciente. Cosimo la prit dans ses bras et la serra contre lui pendant que Sifrido examinait ses blessures.

« Seigneur, c'est profond. Elle doit absolument être amenée aux urgences. »

"Non," gémit Biba, "nous sommes si proches. Ils sont juste devant moi. S'il te plaît, sauve-la... Fais-le pour moi, Cosimo, sauve-la, s'il te plaît. »

Cosimo semblait être en proie à un véritable dilemme, et Biba lui effleura le visage. "Toute cette douleur n'aura servi à rien si nous n'arrivons pas à la récupérer." Elle se dégagea de ses bras et tenta de se mettre debout. "Je pense que vais bien." Elle vit le scepticisme sur son visage et essaya de sourire. "D'accord, je ne vais pas bien, mais putain, je ne vais pas le laisser gagner."

« Alors, attrape-moi et ne me lâche pas », dit Cosimo en passant son bras autour de sa taille. "Si nous devons partir à leur poursuite, faisons-le ensemble."

Ils cheminèrent lentement, en suivant les pistes laissées par Reggie et Stella.

« Il a une arme à feu. Juste pour vous prévenir. » La perte de sang l'affaiblissait et l'étourdissait. Cosimo sourit presque.

"C'est toujours bon à savoir."

Dix minutes plus tard, Sifrido les arrêta, posant son doigt sur ses lèvres et pointant vers le bas. Ils pouvaient voir des éclats de couleur au milieu des arbres enneigés et ils entendaient la voix d'une femme au loin.

"Stella doit surement lui rendre la vie dure", murmura Biba, et Cosimo hocha la tête.

"S'il pense que c'est un enfer, il est sur le point de découvrir le véritable sens de ce mot." Il la posa à terre, l'appuyant contre un arbre. "Bébé, nous devons agir vite, pour pouvoir sauver Stella. Tu sais à quel point je t'aime, mais ce ne sera pas possible, si je dois aussi te tenir dans mes bras. «

Biba hocha la tête. "Je comprends. »

"Je serai de retour avant que tu aies pu t'en rendre compte." Il appuya ses lèvres sur les siennes. «Ma guerrière. Je t'aime."

"Je t'aime aussi... fais attention." Biba lui sourit, puis ses yeux s'illuminèrent. "J'ai une arme." Elle tira le démonte-pneu de sa poche. Cosimo lui caressa le visage.

« Tu peux garder cela, juste au cas où. Nous avons apporté les nôtres. » Il lui montra les armes à feu que lui et Sifrido avaient apportées, et Biba hocha la tête.

« Tuez cet enculé. Il a assassiné Rich et sa propre mère. »

Cosimo hocha la tête, les yeux dangereux. "Ne t'inquiète pas... Reggie Quinn ne se relèvera pas."

25

CHAPITRE VINGT-SIX

Stella se débattait bec et ongles avec Reggie, elle ne se souciait plus de quoi que ce soit. Elle n'avait à présent qu'une seule pensée, si elle devait mourir, elle emporterait ce connard avec elle. "Espèce de monstre, tu l'as laissée mourir."

« Je pensais qu'elle était déjà morte. » Reggie souriait. Il avait une poignée des cheveux de Stella dans sa main, et il l'entrainait avec lui, vers le bas de la colline.

"Enfoiré !" Elle se dégagea et lui donna un coup dans le genou. Reggie chancela et la traîna avec lui alors qu'il tombait.

"Putain de salope !" Il la frappa violemment, l'assommant quasiment, juste avant qu'elle n'entende un coup de feu.

Une vague d'espoir la souleva.

Elle leva les yeux et vit deux Italiens très énervés se précipiter vers eux. Cosimo dirigea son arme vers Reggie. "Time out, Quinn."

"Va te faire foutre, DeLuca."

Reggie tenta d'attraper Stella pour se servir d'elle comme bouclier, mais Stella en avait vraiment assez. Elle lui donna un grand coup dans le nez. Reggie laissa tomber son arme avec un cri perçant, le nez ensanglanté. Stella s'éloigna de lui, et se mit à ramper dans la neige pour s'éloigner. Cosimo l'attrapa, tandis que Sifrido pointait son arme au visage de Reggie.

« Est-ce que je l'abats, ici ? » Demanda-t-il à Cosimo et Stella.

"Il n'a montré aucune pitié pour Rich."

"Ou pour sa propre mère !" Cracha Stella. Sifrido sourit tristement.

Reggie se mit à rire. « Ni pour ta précieuse Biba. J'ai adoré plonger mon couteau dans sa chair, DeLuca. J'ai vraiment, vraiment adoré. »

Sifrido lui tira sèchement une balle dans la tête et Reggie s'écroula dans la neige. Calmement, Sifrido enroula les doigts de Reggie autour de son propre pistolet et tira dans les arbres. "Cos, va te tenir là-bas, pour donner l'impression qu'il t'a tiré dessus."

Cosimo fit ce Sifrido lui avait demandé, puis ils laissèrent le corps de Reggie dans la neige, laissant le soin aux agents du FBI de s'occuper de lui. Ils revinrent tous les trois vers Biba qui leur sourit. "Je vous aime tous," dit-elle, elle semblait saoule. "Est-ce qu'il est mort ?"

"Oui." Cosimo la prit dans ses bras. Stella écarta les cheveux de Biba de son visage.

"Je t'aime, Beebs." Elle ignora les regards étonnés de Cosimo et de Sifrido, mais Biba les vit et sourit.

« Vous avez un problème avec cela les mecs ? Je t'aime aussi, Stel. Maintenant, j'aimerais poser une question ? »

"Bien-sûr, bébé." Cosimo embrassa son front.

Biba sourit. "Est-ce que ça vous dérange si je perds connaissance maintenant ?"

CHAPITRE VINGT-SEPT

uatre mois plus tard...

STELLA EFFLEURA le visage de Franco. "Thornton, après tout ce que nous avons traversé — l'horreur, le tourment — tu dois savoir que je t'ai aimé depuis le début."

Thornton acquiesça. "Ma chérie Lucy... J'aurais préféré que ta mort ne soit pas nécessaire pour me convaincre... J'aurais aimé pouvoir te sauver, mon amour, mon précieux amour."

"Nous serons bientôt ensemble, mon chéri... je t'attends... j'attends..."

« ET *COUPEZ* ! C'est tout, les gars ! Félicitations et merci à tous. » Cosimo rejoignit les applaudissements de tout le monde sur le plateau, alors que les acteurs et l'équipe pouvaient enfin se détendre. Cela faisait un mois qu'ils étaient de retour sur le plateau de tournage et tout le monde était revenu, déterminé à finir ce qu'ils avaient commencé. Le film serait dédié à Rich Furlough, ce qui était une évidence pour Cosimo, mais il souhaitait également rendre hommage à Biba. Stella avait eu l'idée de créer une fondation pour offrir aux jeunes gens des opportunités dans l'industrie du film. Stella voulait la baptiser la *Fondation Biba May pour les arts*, c'est ce qu'elle lui avait affirmé, alors qu'ils étaient tous assis dans la chambre d'hôpital de Biba, qui se remettait doucement des terribles évènements de ces derniers mois.

Biba s'était opposé au nom. « Je ne pense vraiment pas qu'elle devrait porter mon nom. Qui suis-je ? »

Cosimo avait ouvert la bouche, mais Stella avait été plus rapide à répondre. "Tu es l'héroïne qui m'a sauvé la vie. Tu as mis ta vie en péril plusieurs fois pour me sauver la vie, c'est vrai que Cos et Frido ont aussi ont joué un rôle important, mais Beebs, sais-tu à quel point tu inspires les jeunes femmes du monde entier ? »

« Je suis d'accord. *La Fondation Biba May pour les arts* me semble absolument parfaite. Et je vais personnellement mettre dix millions dans cette fondation, pour commencer. » Cosimo hocha la tête, ravi.

"J'en mettrai autant »

Biba avait vu Cosimo et Stella s'impliquer totalement dans leurs projets et elle s'interrogea sur le sort de sa vie. Sa patronne jadis si difficile était maintenant devenue sa meilleure amie et son employeur était son amant. Et elle aimait ces deux personnes plus que tout au monde.

Elle avait passé des mois à se remettre de ses blessures physiques — à son grand soulagement, son rein n'avait pas été gravement endommagé par le couteau de Reggie, mais l'horreur psychologique de la trahison de Reggie, de ses années de mensonges et de manipulations, l'avait profondément marquée, elle était inconsolable.

À l'exception de Cosimo et Stella, Biba avait perdu la personne en qui elle avait le plus confiance et, même si elle était heureuse qu'il soit parti, ce réconfort lui manquait. Elle détestait ce sentiment-là, cela avait entrainé une dépression dont même Cosimo avait du mal à la tirer.

ELLE COMMENÇAIT, cependant, à sortir de son marasme. Voir son amant enfin finir le film qu'ils étaient tous venus terminer à Lakewood, voir le soulagement sur son beau visage était grisant. Cosimo s'approcha d'elle et la prit dans ses bras.

"Nous l'avons fait, Snooks." Ses yeux brillaient et Biba sourit.

"Effectivement. Félicitations, bébé. »

Cosimo appuya ses lèvres sur les siennes. "Je t'aime, Mlle May."

Biba enroula ses bras autour de son cou sans se soucier des autres qui les regardaient en riant. "Je t'aime aussi, M. DeLuca."

Ils s'embrassèrent passionnément jusqu'à ce que les autres commencent à les appeler, les faisant rire. Stella s'approcha d'eux. "Écoutez, vous deux, nous allons faire une fête ce soir et nous avons une petite surprise pour vous."

Cosimo sourit et les sourcils de Biba se haussèrent. "Vraiment ? »

Stella la serra dans ses bras. « Une bonne surprise, c'est promis. En attendant... il y a une suite qui ne demande qu'à être utilisée, là-haut. »

"Maquerelle."

« Comme tu dis. » Stella leur fit un grand sourire à tous les deux puis retourna parler à Franco, à Sifrido et à l'équipe. Elle démontrait un radical changement d'attitude, depuis l'enlèvement, au plus grand étonnant de tout le monde. Stella était décontractée, sympathique et chaleureuse avec tout le monde.

« Tu vas me dire que je suis bizarre », dit Biba alors que Cosimo et elle revenaient au manoir « mais je crois que c'est la vraie Stella, que nous voyons aujourd'hui. Son comportement de diva était un moyen de se protéger. »

« Je pense que tu as peut-être raison, » dit Cosimo en lui souriant. "Mais, tu as toujours été du genre à voir le meilleur chez les autres."

Le sourire de Biba pâlit un peu et Cosimo l'arrêta avec une main sur son épaule. «Biba, il nous a tous dupés. Reggie Quinn portait un masque très bien étudié. Tu dois arrêter de t'en vouloir à cause de lui. »

DANS LEUR SUITE, ils se déshabillèrent lentement, embrassant chaque centimètre de peau exposée jusqu'à ce qu'ils tremblent tous les deux de désir.

« Le lit », dit Cosimo avec un sourire, Biba battit des cils en riant.

"Sur le sol, bébé." Elle éclata de rire alors que Cosimo la posait au sol de manière enjouée et recouvrait son corps du sien. Cosimo lui avait paru plus serein depuis que ses blessures s'étaient estompées. Il désirait clairement profiter de chaque instant de leur temps ensemble. Dans quelques jours, ils se rendraient en Italie pour visiter Venise et planifier leur mariage. Biba avait hâte de s'éloigner des États-Unis pendant quelques semaines.

Stella avait insisté pour que Biba prenne quelques mois de congé.

« Des congés payés, bien sûr, et il y aura aussi un bonus. Passe du temps avec Cos, détends-toi, et prépare le mariage en toute sérénité. Lorsque tu seras prête à revenir, nous devrions parler de ton travail à mes côtés en tant que manager. Tu es trop douée pour continuer à jouer aux assistantes, et je le sais depuis des années. »

ALORS QU'ELLE se détendait avec Cosimo, faisant l'amour lentement et tranquillement, Biba aurait dû être la femme la plus heureuse de la terre. Cosimo pressait ses lèvres contre sa mâchoire, les pressant contre sa gorge, laissant une trace humide et incandescente sur son corps. Biba se tortilla de plaisir et gémit quand sa langue toucha son clitoris. « Mon Dieu, Cos... oui. Oui... c'est... bon... »

Cosimo prit son temps, tapant sa langue sur son clitoris puis l'enfouissant profondément dans sa chatte jusqu'à ce qu'elle halète, criant son nom et jouissant tellement fort. Et quand il plongea sa queue en elle, elle jouit encore, tremblante.

Et elle était heureuse sauf que... il manquait quelque chose. Elle avait comme un gout d'inachevé, et, alors qu'ils se détendaient ensemble, serres dans les bras l'un de l'autre, elle parla à Cosimo de ce qu'elle ressentait.

"À quoi penses-tu que cela est dû ?" Lui demanda Cosimo en lui caressant la joue. Biba secoua la tête.

« Honnêtement, je ne sais pas, bébé. Je suis sûre que ça passera. »

MAIS ALORS MÊME QU'ILS rentraient chez leurs amis, ce soir-là, Biba le sentit : quelque chose était inachevé. Oui, c'était ça, elle avait besoin de trouver une conclusion à un chapitre de sa vie... Mais lequel ?

Bientôt, cependant, son attention fut attirée par le rassemblement au bord du lac alors qu'ils allumaient des lanternes chinoises et les mettaient à l'eau. "Oh, c'est magnifique", s'écria Biba, et Cosimo lui sourit.

«Je suis content que ça te plaise, Biba May. Viens avec moi."

Il la conduisit sur la petite jetée où ils avaient presque fait l'amour pour la première fois. Biba rit sous cape. « Écoute, il y a comme une centaine de personnes qui nous regardent, alors si tu espères finir ce que nous avions commencé ici... »

Cosimo rigola, ses yeux verts dansant de joie. « Non, ce n'est pas ça... du moins, pas pour le moment. Mais, Biba, Stella m'a aidé à organiser cette petite soirée, car il y a une question très importante que je dois te poser. »

La chaleur inonda soudain son visage. L'émotion menaçait de la submerger, tandis que Cosimo s'agenouillait devant elle. « Biba May, mon amour chéri, tu as changé ma vie. Tu es mon héroïne, mon sauveur, ma meilleure amie. Me feras-tu le grand honneur de devenir ma femme ? »

Biba, les larmes aux yeux, sourit. "Tu parles que j'accepte !"

Cosimo éclata de rire. « Et dire que j'essayai d'être le plus formel possible. Alors, c'est un oui ? »

Biba lui jeta les bras autour du cou. "Oui, oui, oui !" Cosimo la prit dans ses bras et la serra très fort contre lui. Biba entendit leurs amis applaudir, ils avaient évidemment deviné sa réponse.

Cosimo finit par la reposer, les larmes scintillant sur ses longs cils. « Je t'aime tellement, Biba May. Tu es l'amour de ma vie."

Biba fut choquée et resta sans voix quelques secondes. "Vraiment ?"

Cosimo hocha la tête. « Cela ne veut pas dire que je n'ai pas aimé Grace de tout mon cœur, bien au contraire. Mais, Biba, je ne pensais pas que mon cœur pourrait prendre un autre risque, et pourtant tu as tout changé dans ma vie. Je t'aime."

Biba éclata en sanglots et enfouit son visage dans sa poitrine. "Je t'aime aussi, Cosimo DeLuca."

Il l'embrassa doucement. « Allez bébé. Allons voir nos amis et fêter ce grand jour avec eux. »

À L'AÉROPORT, Nicco et Olivia se joignirent à eux. "Je vais vraiment devoir t'appeler la belle-mère diabolique", Nicco sourit à Biba, qui lui donna un coup dans le bras en riant.

"Et tu es le rejeton du diable."

"C'est pas faux."

Cosimo et Biba levèrent les yeux au ciel. "Le vol est retardé d'une heure, nous devrions aller chercher quelque chose à manger."

Au restaurant, Nicco se précipita sur son burger. "Alors, Papa, pourquoi ne prenons-nous pas le jet privé ?"

Cosimo sourit à Biba. "À cause de l'environnement, Nicco."

« Heureux de l'entendre. » Nicco échangea un regard avec sa grand-mère. "Au fait, j'ai des nouvelles."

"Je t'écoute."

Nicco sourit. "J'ai été accepté par anticipation à Oregon State."

Cosimo sembla surpris, puis ravi. "Zut, Nicco... wow! Mon dieu, je ne sais pas quoi dire. Félicitations, mon fils. »

«Merci, papa, et je sais que tu voulais que je postule pour Stanford, et je te jure que je l'ai fait. G-Ma et moi sommes allés sur le campus il y a une semaine environ, et c'est magnifique... mais j'ai besoin de mes forêts de pins et de la pluie. »

"Je te comprends." Biba tapota son verre de soda contre le sien et il lui fit un clin d'œil.

« Merci, Beebs. Alors, papa ? »

Cosimo se leva et serra Nicco dans ses bras. « Je suis extrêmement fier de toi. Tu as vraiment assuré avec tes notes. »

« Oh, je sais », Nicco jouait un peu au fanfaron alors qu'il se rasseyait.

"Ne voulais-tu pas prendre une année sabbatique ?"

Nicco secoua la tête. « Non, je veux me plonger dedans aussi vite que possible, tu comprends ? J'aimerais tout faire en une seule année. J'ai hâte de commencer à bosser. Et j'ai aussi élargi mon champ. Depuis que nous sommes allés à Rainier, je ne peux pas m'empêcher de penser à me spécialiser en volcanologie, à la fois sur terre et en mer. »

Cosimo secouait la tête en souriant. "Qu'est-il arrivé à mon adolescent boudeur ?"

Ils bavardèrent encore un moment, avant de se diriger vers la porte d'embarquement. Biba tenait la main de Cosimo alors que Nicco et Olivia les suivaient. Elle s'arrêta soudain et regarda Cosimo, les yeux voilés. "Bébé... je dois passer un appel."

Cosimo avait l'air inquiet. "Tout va bien ?"

"Oh oui", dit-elle en lui souriant. "Je viens de comprendre la sensation de mon sentiment d'inachevé."

À la façon dont ses yeux brillaient, elle pouvait dire qu'il savait de quoi elle parlait. "Tu as besoin d'un peu d'intimité ?"

Elle lui a serré la main. 'Non, j'ai besoin que tu me tiennes la main.'

"C'est bien ce que j'ai l'intention de faire pour les années à venir," dit-il doucement, "tu peux être sûre de ça."

Nicco et Olivia les regardèrent, sentant que le couple avait besoin d'un peu d'intimité. Ils s'éloignèrent discrètement alors que Biba sortait son téléphone. Elle fit défiler l'écran jusqu'au numéro qu'elle voulait, puis elle hésita, son doigt flottant au-dessus de l'écran.

«Quoi qu'il arrive, dit doucement Cosimo, tu es aimée au-delà des mots. »

Les larmes aux yeux, Biba l'embrassa puis appuya sur le bouton d'appel. Lorsque l'appel fut accepté, elle inspira longuement.

«Maman », dit-elle enfin, « c'est moi. C'est Biba... »

Fin

Réalisé avec Vellum

Ingram Content Group UK Ltd.
Milton Keynes UK
UKHW051814140323
418281UK00043B/149